Essential Acoustic Playlist

© International Music Publications Ltd
First published by International Music Publications Ltd in 2002
International Music Publications Ltd is a Faber Music company
Bloomsbury House 74–77 Great Russell Street London WC1B 3DA

Editorial and production by Artemis Music Limited
Folio design by Dominic Brookman

Printed in England by Caligraving Ltd

The text paper used in this publication is a virgin fibre product that is
manufactured in the UK to ISO 14001 standards. The wood fibre used
is only sourced from managed forests using sustainable forestry principles.
This paper is 100% recyclable

ISBN10: 0-571-52572-5
EAN13: 978-0-571-52572-0

To buy Faber Music publications or to find out about the full range of titles available
please contact your local music retailer or Faber Music sales enquiries:

Faber Music Ltd, Burnt Mill, Elizabeth Way, Harlow, CM20 2HX England
Tel: +44(0)1279 82 89 82   Fax: +44(0)1279 82 89 83
sales@fabermusic.com   fabermusic.com

How to use this book

All the songs in this book have been carefully arranged to sound great on the acoustic guitar. They are all in the same keys as the original recordings, and wherever possible authentic chord voicings have been used, except in cases where an alternative voicing more accurately reflects the overall tonality.

Where a capo was used on the original track, it will be indicated at the top of the song under the chord boxes. If you don't have a capo, you can still play the song, but it won't sound in the same key as the original track. Where a song is played in an altered tuning, that is also indicated at the top of the song.

Understanding chord boxes

Chord boxes show the neck of your guitar as if viewed head on – the vertical lines represent the strings (low E to high E, from left to right), and the horizontal lines represent the frets.

An x above a string means 'don't play this string'.

A o above a string means 'play this open string'.

The black dots show you where to put your fingers.

A curved line joining two dots on the fretboard represents a 'barre'. This means that you flatten one of your fretting fingers (usually the first) so that you hold down all the strings between the two dots, at the fret marked.

A fret marking at the side of the chord box shows you where chords that are played higher up the neck are located.

Tuning your guitar

The best way to tune your guitar is to use an electronic guitar tuner. Alternatively, you can use relative tuning – this will ensure that your guitar is in tune with itself, but won't guarantee that you will be in tune with the original track (or any other musicians).

How to use relative tuning

Fret the low E string at the fifth fret and pluck – compare this with the sound of the open A string. The two notes should be in tune – if not, adjust the tuning of the A string until the two notes match.

Repeat this process for the other strings according to this diagram:

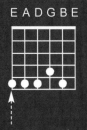

Tune A string to this note

Note that the B string should match the note at the 4th fret of the G string, whereas all the other strings match the note at the 5th fret of the string below.

As a final check, ensure that the bottom E string and top E string are in tune with each other.

Contents

All The Small Things

Words and Music by
MARK HOPPUS AND TOM DE LONGE

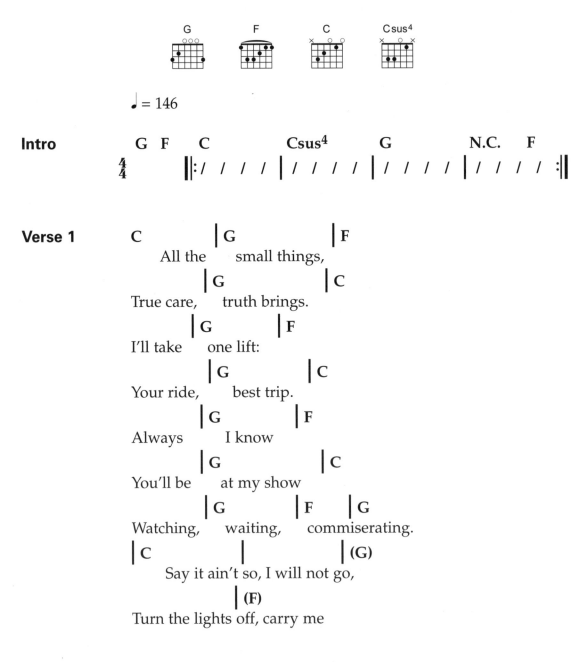

♩ = 146

Intro

G F C   Csus⁴   G   N.C.   F

$\frac{4}{4}$ ‖: / / / / | / / / / | / / / / | / / / / :‖

Verse 1

C | G | F
All the   small things,

| G | C
True care,   truth brings.

| G | F
I'll take   one lift:

| G | C
Your ride,   best trip.

| G | F
Always   I know

| G | C
You'll be   at my show

| G | F | G
Watching,   waiting,   commiserating.

| C | | (G)
Say it ain't so, I will not go,

| (F)
Turn the lights off, carry me

Chorus 1

|C |

Na, na, na, na, na na, na na na na.

home.

|G |F

Na, na, na, na, na na, na na na na.

|C |

Na, na, na, na, na na, na na na na.

|G |F

Na, na, na, na, na na, na na na na.

Link

   C   Csus^4 C   G   N.C. F

‖: / / / / | / / / / | / / / / | / / / / :‖

Verse 2

|C |G |F

  Late night,   come home, ____

           |G |C

Work sucks,   I know. ____

          |G |F

She left me roses by the stairs,

     |G |C

Surprises let me know she cares.

        | |(G)

Say it ain't so, I will not go,

         |(F)

Turn the lights off, carry me

Chorus 2

|C |

{ Na, na, na, na, na na, na na na na.

{ home.

|G |F

Na, na, na, na, na na, na na na na.

|C |

Na, na, na, na, na na, na na na na.

|G |
Na, na, na, na, na na, na na na na.

Instrumental   C   F   G

‖: / / / / | / / / / | / / / / | / / / / :‖

Play 4 times

Coda |C | |G
              Say it ain't so, I will not go,
                        |F |C
Turn the lights off, carry me home.
                        | |G
Keep your head still, I'll be your thrill,
                            |F |C
The night will go on, my little windmill.
| | |G
              Say it ain't so, I will not go,
                        |F |C
Turn the lights off, carry me home.
                        | |G
Keep your head still, I'll be your thrill,
                            |F | |C   ‖
The night will go on, the night will go on, my little windmill.

All You Good Good People

Words and Music by
DANIEL McNAMARA AND RICHARD McNAMARA

F#   B   E   D   B7

♩ = 76

Intro

| F# | B | F# | E | B |

| F# | / / / / | B | / / / / | F# | / / / / | E   B | / / / / |
| E | / / / / | B | / / / / | F# | / / / / | B | / / / / |

Verse 1

|F#
I feel like I meant something,

|B |F#
you always say you need more time. _____

|E   B |E
Well, I'll stay right here and I'll wait for good

|B |F# |B
Until I find a love worth mine. _____

|F#
Some day you've got it coming,

|B |F#
it hurts me when I read the sign

|E   B |E
So loud and clear that I'll make you glad

|B |F# | |
If I'm leaving first and cry - ing.

Chorus 1

| E | B | F♯

All you good, good people listen to me: _____

                                                    | E

You're just about done with the way that you feel.

                       | B | F♯

There's nothing rings home enough to dig your heels in. _____

                        | | E

You don't have to leave me to see what I mean.

                     | B | F♯ | B |

All you good, good people listen to me.

Link

    F♯   B   F♯   E   B

‖: / / / / | / / / / | / / / / | / / / / |

   E   B   F♯   ⌐1.   B   ⌐2.   F♯

/ / / / | / / / / | / / / / | / / / / :‖ / / / /

Bridge

| E | D | F♯ |

And all I wanna do is find my name upon the line

| E | D | F♯ | |

Before I have to lose this I want time.

Chorus 2

| E | B | F♯

All you good, good people listen to me: _____

                                                    | F♯

You're just about done with the way that you feel

                       | B | F♯

Nothing rings home enough to dig your heels in.

                        | | E

You don't have to leave me to see what I mean

                  | B | F♯

Lose all your fears – they are keeping you down.

|　　　　　　　　　　　|E
You won't have to fake it while I'm around.
　　　　　　　　　　|B　　　　|F♯　　|B⁷　　　|
All you good, good people listen to me.

Coda

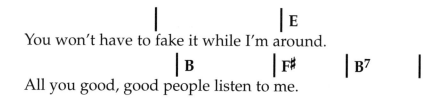

‖: F♯　　　|B⁷
Listen to me,
　　　　　|F♯
Listen to me,
　　　　　|B⁷　　:‖ *Play 3 times*
Listen to me.

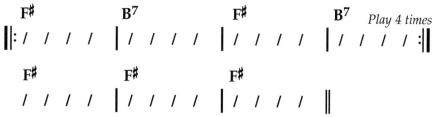

Angie

Words and Music by
MICK JAGGER AND KEITH RICHARDS

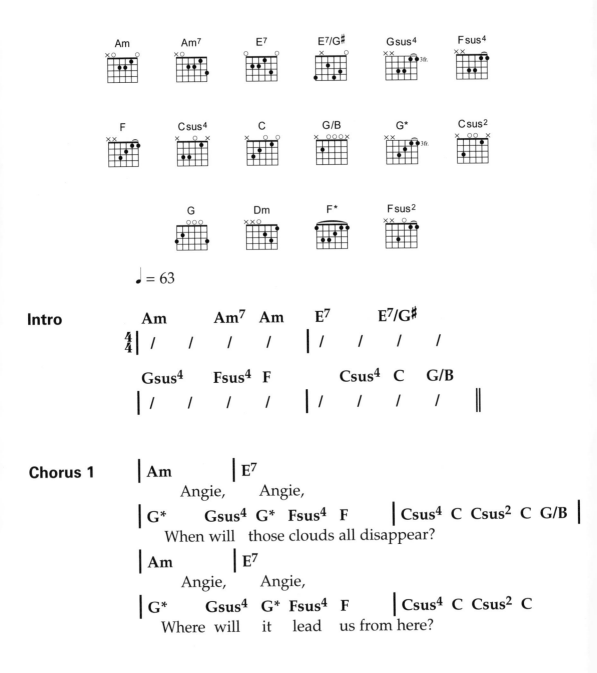

$\downarrow = 63$

Intro

| Am | Am⁷ Am | E⁷ | E⁷/G♯ |

$\frac{4}{4}$| / / | / / | / / | / / |

| Gsus⁴ | Fsus⁴ F | | Csus⁴ C G/B |

| / / | / / | / / | / / ‖

Chorus 1

| Am | E⁷ |
Angie,   Angie,
| G*   Gsus⁴ G* Fsus⁴ F | Csus⁴ C Csus² C G/B |
When will   those clouds all disappear?
| Am | E⁷ |
Angie,   Angie,
| G*   Gsus⁴ G* Fsus⁴ F | Csus⁴ C Csus² C |
Where will   it   lead   us from here?

© 1973 Promopub BV, Netherlands
Westminster Music Ltd, London SW10 0SZ

Verse 1

| G
With no loving in our souls,

| Dm   Am
And no money in our coats,

| C   F* | G
You can't say we're satisfied.

Chorus 2

| Am | E^7
Angie,   Angie,

| G* $Fsus^4$ F $Fsus^2$ | $Csus^4$ C $Csus^2$ C G/B |
You can't say we never tried. _____

| Am | E^7
Angie, you're beautiful, yeah,

| G* $Fsus^4$ F $Fsus^2$ | $Csus^4$ C $Csus^2$ C G/B |
But ain't it time we said goodbye?_____

| Am | E^7
Angie,   I still love you;

| G* $Fsus^4$ F $Fsus^2$ | $Csus^4$ C $Csus^2$ C
Remember all those nights we cried?_____

Verse 2

| G
All the dreams we held so close

| Dm   Am
Seemed to all go up in smoke.

| C   F* | G
Let me whisper in your ear:

Chorus 3

| Am | E^7
(whispered): Angie,   Angie,

| G* $Fsus^4$ F $Fsus^2$ | $Csus^4$ C $Csus^2$ C G/B |
Where will it lead us   from here?

Instrumental 1 Am   E⁷   G*   Fsus⁴ F Fsus²

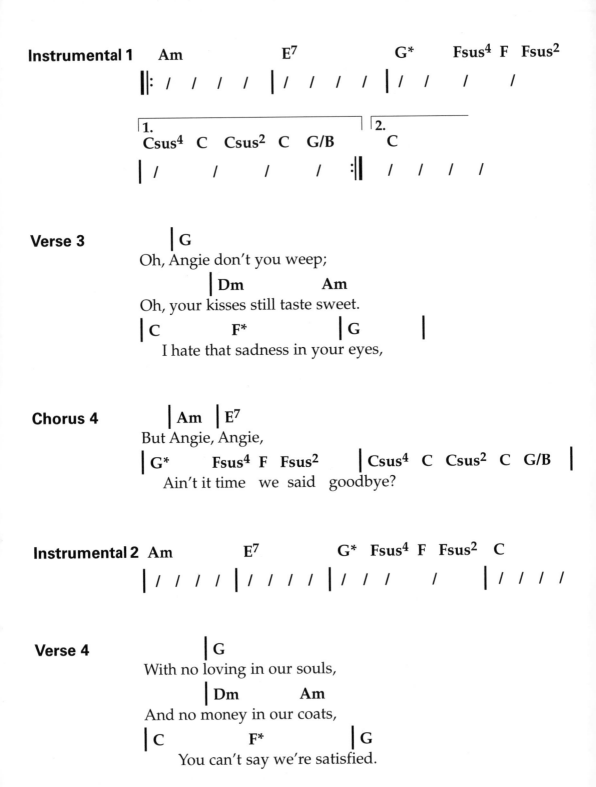

Verse 3

| G
Oh, Angie don't you weep;
| Dm   Am
Oh, your kisses still taste sweet.
| C   F* | G |
I hate that sadness in your eyes,

Chorus 4

| Am | E⁷
But Angie, Angie,
| G*   Fsus⁴ F Fsus² | Csus⁴ C Csus² C G/B |
Ain't it time   we said   goodbye?

Instrumental 2 Am   E⁷   G* Fsus⁴ F Fsus²   C

Verse 4

| G
With no loving in our souls,
| Dm   Am
And no money in our coats,
| C   F* | G
You can't say we're satisfied.

Bridge

| Dm | Am

But Angie, I still love you baby.

| Dm | Am

    Everywhere I look I see your eyes.

| Dm | Am

    There ain't a woman that comes close to you.

| C   F* | G

    Come on, baby, dry your eyes.

Chorus 5

| Am | E^7

    Angie,   Angie,

| G* $Fsus^4$ F $Fsus^2$ | $Csus^4$ C $Csus^2$ C G/B |

   Ain't it good to   be   alive. _____

| Am | E^7

    Angie,   Angie,

| G* $Fsus^4$ F $Fsus^2$ | $Csus^4$ C $Csus^2$ C ||

They can't say   we never tried.

Any Day Now

Words and Music by
GUY GARVEY, MARK POTTER, CRAIG POTTER,
RICHARD JUPP AND PETE TURNER

Chord diagrams: B♭maj⁷/F (2fr.) · B♭maj⁷/D (2fr.) · B♭maj⁷/A (2fr.) · Emaj⁷ (7fr.) · E♭ (6fr.)

E♭sus⁴ᐟ² (6fr.) · Emaj⁷/B · E♭/B♭ (6fr.) · E♭sus² (6fr.)

$\quad \downarrow = 68$

(Freely)

Intro   B♭maj⁷/F   B♭maj⁷/D   B♭maj⁷/A

$\frac{4}{4}$ ‖: /   / / / | /   / / / :‖

(organ and bass)   *Play 4 times*

Verse 1 | Emaj⁷ | | | E♭   E♭sus⁴ᐟ²   E♭ |
What's got into me?

| Emaj⁷ | | | E♭   E♭sus⁴ᐟ²   E♭ |
Can't believe myself!

| Emaj⁷ | | | E♭   E♭sus⁴ᐟ²   E♭ |
Must be someone else.

| Emaj⁷ | | | E♭   E♭sus⁴ᐟ²   E♭ |
Must be someone else.   Must be.

Chorus 1

||: Emaj^7/B
Any day now,
|
How's about getting out of this place,

Any ways?
|
Got a lot of spare time, *Play 4 times*
| E♭/B♭ :||
Some of my youth and all of my senses on overdrive.

Guitar solo

Emaj^7 E♭sus^2
||: / / / / | / / / / | / / / / | / / / / :||
Play 3 times

Verse 2

| Emaj^7 | | | E♭sus^2 |
What's got into me?
| Emaj^7 | | | E♭sus^2 |
Can't believe myself, lately.

Chorus 2

||: Emaj^7/B
Any day now,
|
How's about getting out of this place,

Any ways?
|
Got a lot of spare time, *Play 2 times*
| E♭/B♭ :||
Some of my youth and all of my senses on overdrive.

(Chorus 2 lyric continues)

Chorus 3

| Emaj^7/B | | | E♭/B♭
Don't play Coltrane, you will sleep at the wheel.

| **Emaj7/B** |

Eyes   on   horizon,

| | **E♭/B♭** |

Don't sleep at the wheel.

| **Emaj7/B** | | | **E♭/B♭**

Don't play Coltrane, you will sleep at the wheel.

| **Emaj7/B** |

Eyes   on   horizon,

| | **E♭/B♭** |

Don't sleep at the wheel,   the

Chorus 4 | **Emaj7/B**

{ Any day now,
{ wheel.

|

How's about getting out of this place,

Any ways?

|

Got a lot of spare time,

| **E♭/B♭**   **E♭sus4/2**   **E♭/B♭**

Some of my youth and all of my senses on   over - drive.

‖: **Emaj7/B**

  Any day now,

|

How's about getting out of this place,

Any ways?

|

Got a lot of spare time,   *Repeat to fade*

| **E♭/B♭**   **E♭sus4/2**   **E♭/B♭** :‖

Some of my youth and all of my senses on   over - drive.

Central Reservation

**Words and Music by
ELIZABETH ORTON**

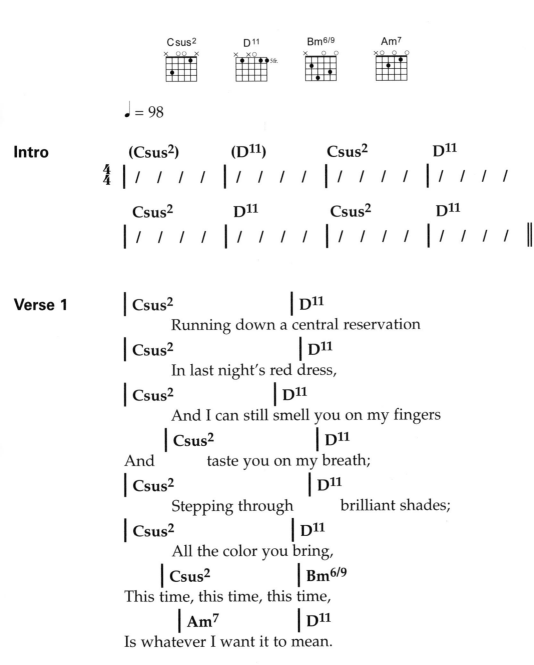

$\quad$ = 98

Intro

(Csus^2)　　　(D^{11})　　　Csus^2　　　D^{11}

$\frac{4}{4}$ | / / / / | / / / / | / / / / | / / / /

Csus^2　　　D^{11}　　　Csus^2　　　D^{11}

| / / / / | / / / / | / / / / | / / / / ‖

Verse 1

| Csus^2　　　　　| D^{11}

　　Running down a central reservation

| Csus^2　　　　　　| D^{11}

　　In last night's red dress,

| Csus^2　　　　　| D^{11}

　　And I can still smell you on my fingers

　　| Csus^2　　　　　| D^{11}

And　　　taste you on my breath;

| Csus^2　　　　　| D^{11}

　　Stepping through　　brilliant shades;

| Csus^2　　　　| D^{11}

　　All the color you bring,

　　| Csus^2　　　| Bm$^{6/9}$

This time, this time, this time,

　　| Am^7　　　| D^{11}

Is whatever I want it to mean.

Verse 2

| Csus² | D¹¹

If this is where memories are made

    | Csus² | D¹¹

I'm   gonna like what I see,

| Csus² | D¹¹

     And everything   I ever took for granted,

| Csus² | D¹¹

    I'm gonna let it be.

| Csus² | D¹¹

    I step through every shade,

| Csus² | D¹¹

    All the colour you bring;

    | Csus² | Bm⁶ᐟ⁹

But this time, this time, this time,

  | Am⁷ | Bm⁶ᐟ⁹

Is whatever I want it to mean.

Bridge 1

    | Csus² | Bm⁶ᐟ⁹

And everything and no - thing is

  | Am⁷ | Bm⁶ᐟ⁹

As sacred as we'd want it to be,

     | Csus² | Bm⁶ᐟ⁹

When it's real,   make it real,

| Am⁷ | Bm⁶ᐟ⁹

   Compared to what.

‖: Csus² | Bm⁶ᐟ⁹ | Am⁷ | Bm⁶ᐟ⁹ :‖

  Ooh, yeah, yeah, yeah, yeah, yeah, yeah, yeah, yeah yeah.

Guitar solo   Csus²   D¹¹   Csus²   D¹¹

| / / / / | / / / / | / / / / | / / / / |

                Csus²   D¹¹   Csus²

| / / / / | / / / / | / / / / ‖

Verse 3

| **D¹¹** | **Csus²** | **D¹¹**
It's like   living in the mid - dle of the ocean,

| **Csus²** | **D¹¹**
With no future, no   past;

| **Csus²** | **D¹¹**
And everything that's good about now,

    | **Csus²** | **D¹¹**
Well,   might just glide right past.

| **Csus²** | **D¹¹**
I'm stepping through   brilliant shades,

| **Csus²** | **D¹¹**
All the colour you bring;

    | **Csus²** | **D¹¹**
This time, this time, this time,

    | **Csus²** | **D¹¹**
Is fine just as it is.

Bridge 2

    | **Csus²** | **Bm⁶ᐟ⁹**
And everything is sacred here,

    | **Am⁷** | **Bm⁶ᐟ⁹** | **Csus²**
And nothing is as sacred as I want it to be,

    | **Bm⁶ᐟ⁹** | **Am⁷** | **Bm⁶ᐟ⁹**
When it's real   compared to what.

Coda

‖: **Csus²** | **Bm⁶ᐟ⁹** | **Am⁷** | **Bm⁶ᐟ⁹** :‖
Ooh, yeah, yeah, yeah, yeah, yeah, yeah, yeah, yeah, yeah.

   Csus²   **D¹¹**   **Csus²**   **D¹¹**   *Play 3 times*

(with vocal ad libs) ‖: / / / / | / / / / | / / / / | / / / / :‖

   Csus²   **D¹¹**   **Csus²**   **D¹¹**

| / / / / | / / / / | / / / / | / / / / |

   Csus²   **D¹¹**   **Csus²**   **D¹¹**

| / / / / | / / / / | / / / / | / / / / |

   Csus²   **D¹¹**   **Csus²**

   / / / / | / / / / | / / / / ‖

Bitter Sweet Symphony

Words and Music by
MICK JAGGER, KEITH RICHARDS
AND RICHARD ASHCROFT

A   Asus4   Bm7   Dsus2   E

$\downarrow$ = 85

Intro

| E | Bm7 | Dsus2 | A | E | Bm7 | Dsus2 | A |

4/4 | / / / / | / / / / | / / / / | / / / / |

| E | Bm7 | Dsus2 | A | E | Bm7 | Dsus2 | A |

| / / / / | / / / / | / / / / | / / / / |

| E | Bm7 | Dsus2 | A | E | Bm7 | Dsus2 | A |

| / / / / | / / / / | / / / / | / / / / |

| E | Bm7 | Dsus2 | A | E | Bm7 | Dsus2 | A |

| / / / / | / / / / | / / / / | / / / / |

| E | Bm7 | Asus4 | A | E | Bm7 | Asus4 | A |

| / / / / | / / / / | / / / / | / / / / |

| E | Bm7 | Asus4 | A | E | Bm7 | Asus4 | A |

| / / / / | / / / / | / / / / | / / |

Cause it's a

Verse 1 | E   Bm7 | Asus4   A

bitter   sweet   symphony   that's   life,

| E   Bm7 | Asus4   A

try   to make

| E   Bm⁷ |Asus4   A |

    ends   meet,   you're a slave   to   money   then you die.

| E   Bm⁷ |Asus4   A |

                                                 I'll take you

| E   Bm⁷ |Asus4   A |

    down   the   only   road   I've   ever   been

| E   Bm⁷ |Asus4   A |

     down,   you know the

| E   Bm⁷ |Asus4   A |

    one   that   takes you to the   places where all   the veins meet,

| E   Bm⁷ |Asus4   A |

     yeah.

Chorus 1 | E   Bm⁷ |Asus4   A |

    No change, I   can change, I   can change,   I   can change,   but I'm here

| E   Bm⁷ |Asus4   A |

    in   my mould,   I   am here   in   my mould,   but I'm   a

| E   Bm⁷ |Asus4   A |

    million different people   from one   day   to   the next, I   can't change

| E   Bm⁷ |Asus4   A |

    my mould   no, no,   no,   no,   no,   no,   no.

| E   Bm⁷ |Asus4   A |

| E   Bm⁷ |Asus4   A |

                                           Well I've ne -

Verse 2 | E   Bm⁷ |Asus4   A |

    - ver   prayed   but tonight   I'm   on   my   knees,

```
| E              Bm⁷            | Asus4          A
    yeah,                                           I  need to

| E              Bm⁷            | Asus4          A
  hear   some   sounds   that       recognise   the pain in      me,

| E              Bm⁷            | Asus4          A
    yeah.                                          I   let  the

| E              Bm⁷            | Asus4          A
  melody     shine,    let  it cleanse      my     mind,    I  feel free

| E              Bm⁷            | Asus4          A
    now,                                           but the  air -

| E              Bm⁷            | Asus4          A
  - waves are clean    and there's no   -   body   singing        to  me

| E              Bm⁷            | Asus4          A
    now.
```

Chorus 2
```
| E                  Bm⁷          | Asus4          A
  No change, I  can change, I  can change,     I  can change,  but I'm here

| E                  Bm⁷          | Asus4          A
    in  my mould,     I   am here      in  my mould,   but I'm  a

| E                  Bm⁷          | Asus4          A
  million different people   from one      day  to  the next, I  can't change

| E              Bm⁷            | Asus4          A
    my mould,    no, no,        no,        no,      no,      no,      no.

| E              Bm⁷            | Asus4          A


| E              Bm⁷            | Asus4          A
                                                 Cause it's   a
```

| E   Bm⁷ | Asus4   A | |

```
| E                Bm7      |Asus4            A              |
  bitter      sweet             symphony          that's    life,

| E                Bm7      |Asus4            A              |
                                              try  to make

| E                Bm7      |Asus4            A              |
  ends     meet,    try to find     some   money    then you die.

| E                Bm7      |Asus4            A              |
                                              I'll take you

| E                Bm7      |Asus4            A              |
  down   the      only            road    I've    ever        been

| E                Bm7      |Asus4            A              |
    down,                                     you know the

| E                Bm7      |Asus4            A              |
  one     that    takes you to the    places where all      the veins meet,

| E                Bm7      |Asus4            A              |
    yeah.                                     You know  I
```

horus 3

```
| E                Bm7      |Asus4            A              |
  can change, I  can change, I  can change,    I  can change,  but I'm here

| E                Bm7      |Asus4            A              |
    in  my mould,     I   am here    in  my mould,    but I'm  a

| E                Bm7      |Asus4            A              |
  million different people   from one      day  to  the next, I can't change

| E                Bm7      |Asus4            A              |
    my mould,    no, no,       no,       no,       no,     I can't change

| E                Bm7      |Asus4            A              |
    my mould,    no, no,      no,        no,       no,     I  can't
```

(Repeat last 4 bars to fade)

Burning Down The House

Words and Music by
DAVID BYRNE, CHRIS FRANTZ,
TINA WEYMOUTH AND JERRY HARRISON

F#7   B7   E   B7/E

F#   G#   B7/F#

♩ = 108

Intro   F#7   N.C.

4/4 | / / / / | / / / / |

| B7 |

Fighting fire with fire.

Verse 1   F#7 |E |

Watch   out.   You might get walked on after

F#7 |E   B7/E |

cool   baby's   strange but not a stranger.

F#7 |E |

I'm an ordinary   guy.

F#   G# |N.C.   B7/E |

Burning down the house.

Verse 2   F#7 |E |

Hold   tight.   Wait till the party's over

F#7 |E   B7/E |

Hold   tight.   We're in for nasty weather

F#7 |E |

There has got to be a way.

<pre>
F#   G# | N.C. |
          Burning down the house.
</pre>

horus 1
<pre>
F#7 | E |
Here's your ticket. Pack your bag. It's time for jumping overboard.

F#7 | E   B7/E |
          The transportation is here.

F#7 | E |
Close enough but not too far.   Maybe you know where you are.

F# | E   B7 |
          Fighting fire with fire.
</pre>

erse 3
<pre>
F#7 | E |
          All   wet.   Yeah, you might need a raincoat.

F#7 | E   B7/E |
          Shake   down.   Dreams walking in broad daylight.

F#7 | E |
          Three hundred and sixty-five   degrees.

F#   G# | N.C. |
          Burning down the house.
</pre>

horus 2
<pre>
F#7 | E |
It was once upon a place.   Some-times I listen to myself.

F#7 | E   B7/E |
          Going or coming first place.

F#7 | E |
People on their way to way to work, baby did you expect.

F# | E   B7 |
          I'm gonna burst into flames.

F# | E |
          Fighting fire with fire.
</pre>

27

F#7					**E**			**B7/E**	
|	/	/	/	/	|	/	/	/	/	|

F# |**E** |
Fighting fire with fire.

F#   **G#** |$\frac{2}{4}$ **B7** |
Burning down the house.

Verse 4 $\frac{4}{4}$ **F#7** |**E** |
My   house.   S'out of the ordinary,

F#7 |**E**   **B7/E** |
That's right.   Don't wanna hurt nobody.

F#7 |**E** |
Some things sure can   sweep me off   my feet.

F#   **G#** |$\frac{2}{4}$ **B7/E** |
Burning down the house.

Verse 5 $\frac{4}{4}$ **F#7** |**E** |
Watch   out.   You might get what you're after,

F#7 |**E**   **B7/E** |
cool   baby's   strange but not a stranger.

F#7 |**E** |
I'm an ordinary   guy.

F#   **G#** |
Burning down the house.

F#7 |**E** |
Three hundred and sixty-five degrees.

F#   **G#** |**N.C.** |
Burning down the house.   Fighting fire with

F#   **G#** |**N.C.** |
fire.   Fighting fire with fire.   Gonna burst into

F♯   G♯ | N.C. |
flames.   ˙Fighting fire with fire.   Fighting fire with

F♯   G♯ | N.C. |
fire.   Fighting fire with fire.   Gonna burst into

F♯   G♯ | N.C. |
flames.   *Burning down the house.*   My house.

F♯   G♯ | N.C. |
                     Burning down the house.   No

F♯   G♯ | N.C. |
visible means of support and   you have not seen nothing yet but

F♯   G♯ | N.C. |
                     ev'rything's stuck toge-ther.

F♯7 | E |
I don't know what you expect star-ing into your T.V. set

F♯7 | E   B7/F♯ |
               Fighting fire with fire.

Coda   F♯7   E

| /   /   /   / | /   /   /   / |

F♯ | E   B7/F♯ |
Ooh   burning down the house.

(Repeat Coda to fade)

Come Together

Words and Music by
ROBERT YOUNG, BOBBY GILLESPIE
AND ANDREW INNES

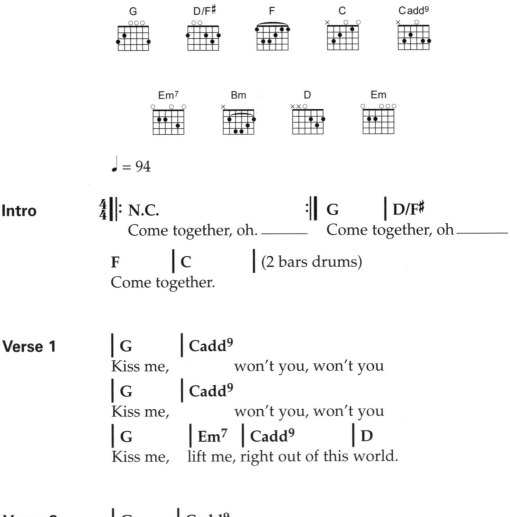

♩ = 94

Intro

$\frac{4}{4}$ ‖: N.C.   :‖ G | D/F♯

Come together, oh. ———   Come together, oh ———

F | C | (2 bars drums)

Come together.

Verse 1

| G | Cadd9

Kiss me,   won't you, won't you

| G | Cadd9

Kiss me,   won't you, won't you

| G | Em7 | Cadd9 | D

Kiss me,   lift me, right out of this world.

Verse 2

| G | Cadd9

Trip me,   won't you, won't you

| G | Cadd9

Trip me,   won't you, won't you

| G   Bm | Em7 | Cadd9 | D

Trip   me,   lift me, ride me to the stars.

Prechorus 1 | Em Bm | C   G
I'm   free, you're free,

| Em Bm
I'm   free.

| F
I want you to touch me,

| C | G
So come on and touch me, love.

Chorus 1 | F C | G | F C | G | F C | G | B♭   F |
It's all too much,   all too   much,   all too   much.

Verse 3 | G | Cadd⁹
Kiss me,   won't you, won't you

| G | Cadd⁹
Kiss me,   won't you, won't you

| G   D/F♯ | Em⁷ | Cadd⁹ | D
Kiss   me,   lift me, right out of this world.

Verse 4 | G | Cadd⁹
Trip me,   won't you, won't you

| G | Cadd⁹
Trip me,   won't you, won't you

| G   Bm | Em⁷ | Cadd⁹ | D
Trip   me,   lift me, ride me to the stars.

Prechorus 2 | Em Bm | C   G
I'm   free, you're free,

| Em Bm
I'm   free.

| F
I want you to touch me,

|C |G
So come on and touch me, love.

Chorus 2 |F C |G |F C |G |F C |G |B♭   F |
It's all too much,   all too much,   all too much.

Instrumental   G   D/F♯   F   C
                | / / / / | / / / / | / / / / | / / / / |

Coda   ‖: G | D/F♯
                Come together, oh. ———
                | F | C   :‖ *Repeat to fade*
                Come together, oh. ———

Cryin'

Words and Music by
STEVEN TYLER, JOE PERRY AND **TAYLOR RHODES**

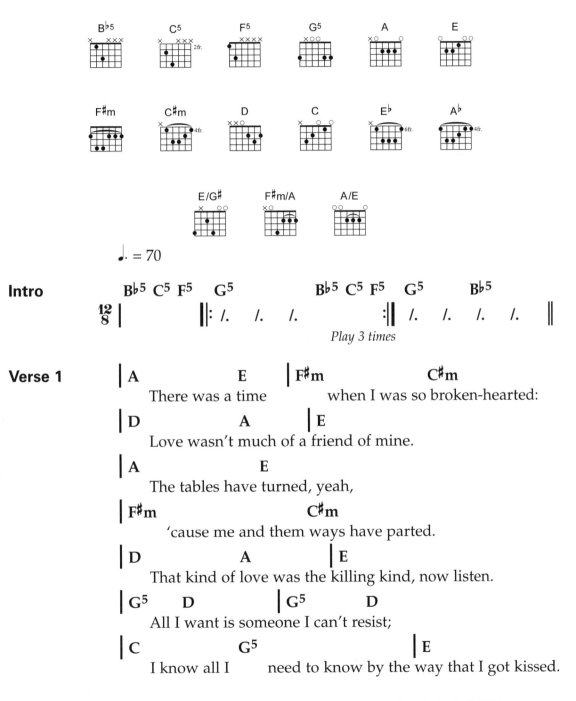

$\cdot = 70$

Intro

$B\flat5$ C^5 F^5 G^5 $B\flat5$ C^5 F^5 G^5 $B\flat5$

$\frac{12}{8}$ | ‖: /.   /.   /.   :‖ /.   /.   /.   /.   ‖

Play 3 times

Verse 1

| A   E | F#m   C#m
There was a time   when I was so broken-hearted:

| D   A | E
Love wasn't much of a friend of mine.

| A   E
The tables have turned, yeah,

| F#m   C#m
'cause me and them ways have parted.

| D   A | E
That kind of love was the killing kind, now listen.

| G^5 D | G^5 D
All I want is someone I can't resist;

| C G^5 | E
I know all I   need to know by the way that I got kissed.

Chorus 1

```
        |A              E
I was cryin' when I met you,
        |F#m        D
Now I'm trying to forget you.
|A          E           |D
   Love is sweet misery.
        |A          E
I was cryin' just to get you,
        |C#m         D
Now I'm dying 'cause I let you
|A              E           |D        Bb5  C5  F5
   Do what you do  down on me.
```

Bridge 1

```
|G5                                      Bb5  C5  F5
   Now there's not even breathing room
|G5                          Bb5  C5  F5
   Between pleasure and pain,
|G5                              Bb5  C5  F5
   Yeah, you cry when we're making love
|G5                   Bb5
   Must be one and the same.
```

Verse 2

```
|A              E  |F#m        C#m
   It's down on me,  yeah, I got to tell you one thing
|D              A        |E
   It's been on my mind, girl I gotta say
|A                    E
   We're partners in crime;
|F#m        C#m
You got that certain something.
|D                  A          |E
   What you give to me takes my breath away.
|G5          D
Now the word out on the street
```

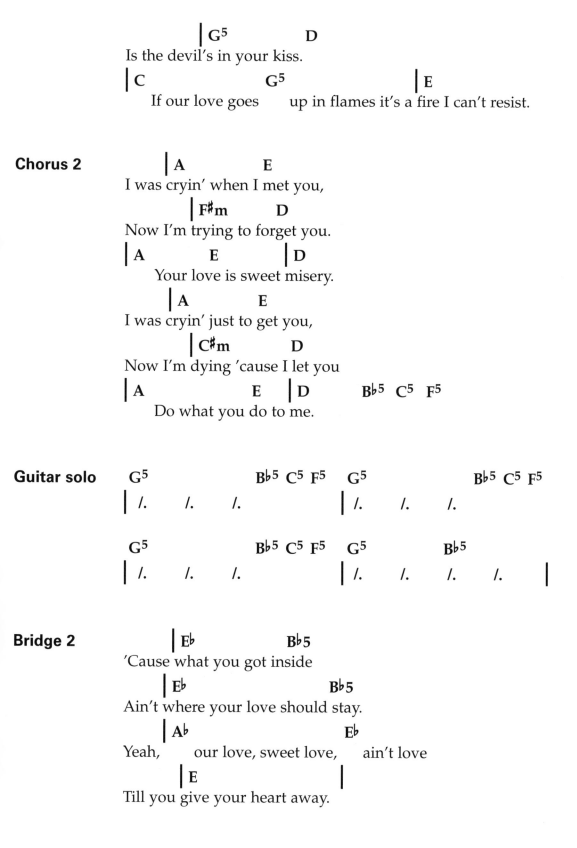

$|$ G⁵   D
Is the devil's in your kiss.
$|$ C   G⁵ $|$ E
    If our love goes   up in flames it's a fire I can't resist.

Chorus 2 $|$ A   E
                I was cryin' when I met you,
                      $|$ F♯m   D
                Now I'm trying to forget you.
                $|$ A   E $|$ D
                    Your love is sweet misery.
                      $|$ A   E
                I was cryin' just to get you,
                      $|$ C♯m   D
                Now I'm dying 'cause I let you
                $|$ A   E $|$ D   B♭⁵ C⁵ F⁵
                    Do what you do to me.

Guitar solo   G⁵   B♭⁵ C⁵ F⁵   G⁵   B♭⁵ C⁵ F⁵
                $|$ /.   /.   /. $|$ /.   /.   /.

                G⁵   B♭⁵ C⁵ F⁵   G⁵   B♭⁵
                $|$ /.   /.   /. $|$ /.   /.   /.   /. $|$

Bridge 2 $|$ E♭   B♭⁵
                'Cause what you got inside
                      $|$ E♭   B♭⁵
                Ain't where your love should stay.
                      $|$ A♭   E♭
                Yeah,   our love, sweet love,   ain't love
                      $|$ E $|$
                Till you give your heart away.

Chorus 3

|A   E
I was cryin' when I met you,

    |C♯m   D
Now I'm trying to forget you,

|A   E |D
   Your love is sweet misery.

    |A   E
I was cryin' just to get you,

     |F♯m N.C.   D
Now I'm dy - ing   to let you

|A   E
   Do what you do what you do, down to me,

|D |
   Baby, baby, baby, baby, baby, baby, baby.

Instrumental

A   E   C♯m D   A   E   D
| /. /. /. /. | /. /. /. /. | /. /. /. /. | /. /. /. /.

A E/G♯   F♯m/A D   A/E E   D
| /. /. /. /. | /. /. /. /. | /. /. /. /. | /. /. /. /. |

Chorus 4

    |A   E
I was cryin' when I met you,

    |C♯m   D
Now I'm trying to forget you.

|A   E |D
   Your love is sweet misery.

    |A   E/G♯
I was cryin' when I met you,

     |F♯m/A   D
Now I'm dying 'cause I let you

|A/E   E |D
   Do what you do down to,   down on, down on,

         |
down on, down on.

Chorus 5

| A   E

I was cryin' when I met you,

  | C♯m D

Now I'm dying to forget you,

| A   E | D

 Your love is sweet misery.

  | A   E   ‖

I was cryin' when I met you *(fade)*

Don't Dream It's Over

Words and Music by
NEIL FINN

Ebsus2   Bbm/Eb   Bbm7/Eb   Cm   Ab   G

Bb   Eb   Db   Fm7   Gm7

Moderately in 2   Capo at 3rd fret

Intro

Ebsus2 | / / / / | / / / / | Bbm/Eb / / / / | Bbm7/Eb / / / /

Ebsus2 | / / / / | / / / / | Bbm/Eb / / / / | Bbm7/Eb / / / /

Verse 1

Ebsus2 |
There is freedom within,

Cm |
there is freedom without.

Ab |
Try to catch   the del - uge in a paper   cup.

G
| / / / / | / / / /

Ebsus2 |
There's a battle ahead,

Cm |
many battles are lost,

Ab |
but you'll never see the end of the road   while you'r

G | |
trav'ling   with   me.

Chorus 1   **Aᵇ** | **Bᵇ** |
                    Hey now,   hey   now,   don't

Eᵇ | **Cm** |
dream   it's   over.   Hey

Aᵇ | **Bᵇ** |
now,   hey   now,   when the

Eᵇ | **Cm** |
world   comes   in.   They

Aᵇ | **Bᵇ** |
come,   they   come

Eᵇ | **Cm** |
to build a wall between us.

Aᵇ | |
    We know   they   won't win.

                                 G
| /   /   /   / | /   /   /   / |

Verse 2   **Eᵇsus2** | |
                    Now I'm towing   my car;

Cm | |
                 there's a hole   in the roof.

Aᵇ | |
    My possessions are causing me suspicion but there's

G | |
    no proof.

Eᵇsus2 | |
            In the paper today;

Cm | |
tales of war and of waste,

A♭ | |
but you turn right o - ver to the T. V. page.

G
| / / / / | / / / / |

Chorus 2 **A♭** | **B♭** |
Hey now, hey   Now,   don't

E♭ | **Cm** |
dream   it's   over.   Hey

A♭ | **B♭** |
now,   hey   now,   when the

E♭ | **Cm** |
world   comes   in.   They

A♭ | **B♭** |
come,   they   come

E♭ | **Cm** |
to build a wall between us.

A♭ | | |
We know   they   won't win.

Interlude   **E♭sus2**   **Cm**
| / / / / | / / / / | / / / / | / / / /

              A♭   **G**
| / / / / | / / / / | / / / / | / / / /

              E♭sus2   **Cm**
| / / / / | / / / / | / / / / | / / / /

              A♭   **G**
| / / / / | / / / / | / / / / | / / / /

40

| **A♭** / / / / | **E♭** / / / / | **A♭** / / / / | **E♭** / / / / |

| **A♭** / / / / | **E♭** / / / / | **D♭** / / / / | / / / / |

| / / / / | / / / / |

Verse 3

E♭sus2 | |
Now I'm walking   again

Cm | |
to the beat   of   a drum,

A♭ | |
and I'm counting the steps   to the door of your heart.

G
| /   /   /   / | /   /   /   / |

E♭sus2 | |
Only shadows ahead

Cm | |
barely clearing   the   roof.

A♭ | |
Get to know the feeling   of   liberation

A♭ | |
and relief.   Hey

Chorus 3 **A♭** | **B♭** |
now,   hey   now,   don't

E♭ | **Cm** |
dream   it's   over.   Hey

A♭ | **B♭** |
now,   hey   now,   when the

41

E♭ |Cm |
world   comes   in.   They

A♭ |B♭
come,   they   come
E♭ |Cm
     to build a wall between us.

A♭ |
     We know   they   won't win.

| /   /   /   / | /   /   /   / |

     B♭   E♭
| /   /   /   / | /   /   /   / |

A♭ |
     Don't let them win.

Coda   A♭ |B♭
           Hey now,   *hey*   *now.*

       E♭ |Cm
                         Don't let them   win.

(Repeat Coda to fade)

The Drugs Don't Work

Words and Music by
RICHARD ASHCROFT

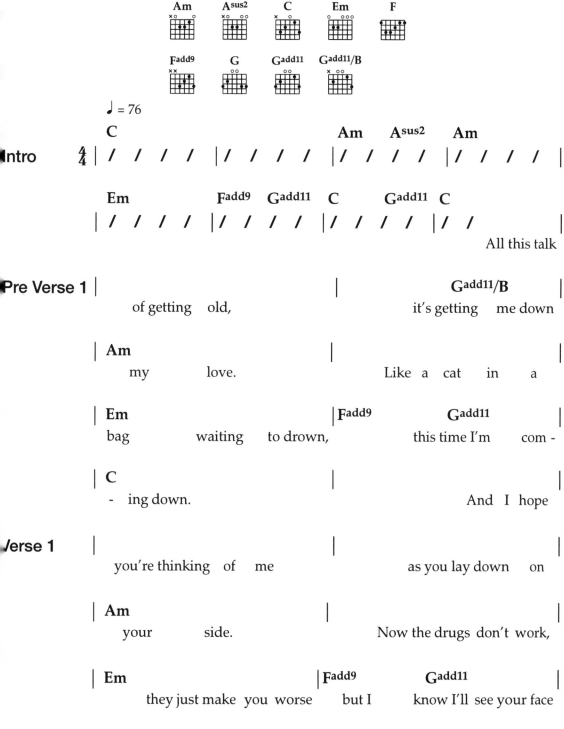

| C   Gadd11 | C |
         again.   Now the drugs don't work,

Chorus 1 | Em |Fadd9   G |
                     they just make you worse   but I   know I'll see your face

              | C   Gadd11 | C |
                     again.   But   I know

Verse 2 | | |
                     I'm on   a losing   streak,   as   I pass down my

              | Am | |
                     old   street.   And if you   want   to

              | Em |Fadd9   Gadd11 |
                     show   just let   me know   and I'll   sing in your ear

              | C   Gadd11 | C |
                     again.   Now the drugs don't work,

Chorus 2 | Em |Fadd9   G |
                     they just make you worse   but I   know I'll see your face

              | C   Gadd11 | |
                     again.   Coz baby

Bridge 1 | F | Em |
                     ooh,   if   heaven   calls

              | Am |Gadd11 G |
                            I'm   coming   too.   Just like you   say,

              | F | Em |
                                                                 you'll leave my life,

              | Am | Gadd11 |
                            I'm better   off dead.   All this talk

Verse 3 | C | |
                     of getting old,   it's getting me down

44

```
| Am                          |                                          |
     my          love.              Like  a  cat   in   a

| Em                    |Fadd9        Gadd11           |
   bag          waiting   to drown,        this time I'm    com -

| C               Gadd11      | C                           |
 - ing down.                        Now the drugs don't work,
```

Chorus 3
```
| Em                          |Fadd9        G              |
        they just make  you  worse   but I      know I'll see your face

| C               Gadd11      |                             |
   again.                              Coz baby
```

Bridge 2
```
| F                           | Em                          |
 ooh,                                    if   heaven    calls

| Am                      |Gadd11  G                        |
        I'm   coming    too.           Just like you      say,

| F                       | Em                              |
                                         you'll leave my  life,

| Am                          |Gadd11                       |
        I'm  better   off dead.           But if  you  want   a

| Em                    |F           Gadd11                 |
 show,     then just   let  me know   and I'll      sing  in your ear

| C                           |                             |
   again.                            Now the drugs  don't  work,
```

Chorus 4
```
| Em                          |F           G                |
        they just make  you  worse   but I      know I'll  see your face

| C               Gadd11      |C                 Gadd11     |
   again,                            yeah I know I'll see your face

| C               Gadd11      |C                 Gadd11     |
   again,                            yeah I know I'll see your face
```
(Repeat last 2 bars to end)

Empty At The End

Words and Music by
TOM WHITE AND ALEX WHITE

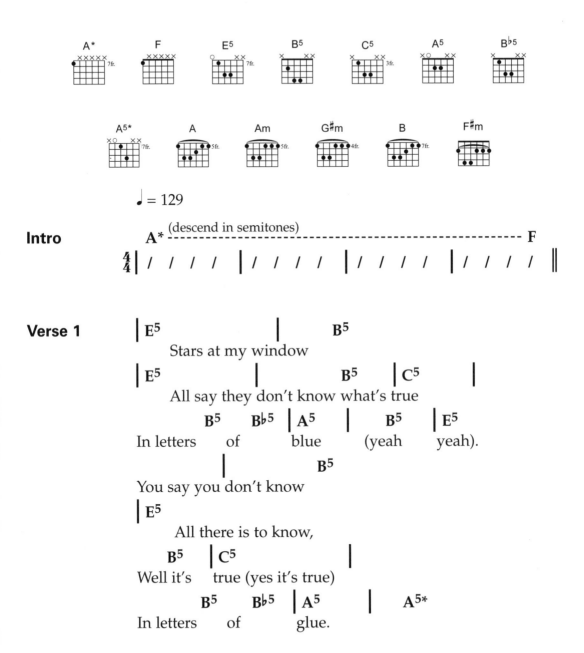

$\quad$ = 129

Intro   A* (descend in semitones) -- F

4/4 / / / / | / / / / | / / / / | / / / / ‖

Verse 1 | E^5 $\quad$ | B^5

Stars at my window

| E^5 $\quad$ | B^5 | C^5 |

All say they don't know what's true

$\quad$ B^5 $\quad$ $B\flat^5$ | A^5 | B^5 | E^5

In letters $\quad$ of $\quad$ blue $\quad$ (yeah $\quad$ yeah).

| B^5

You say you don't know

| E^5

All there is to know,

B^5 | C^5 |

Well it's $\quad$ true (yes it's true)

B^5 $\quad$ $B\flat^5$ | A^5 | A^{5*}

In letters $\quad$ of $\quad$ glue.

Chorus 1

| A | Am | G♯m

And all I know is no-one is my friend,

| B | F♯m

And it's empty at the end,

| Am | E^5 | |

So you start again. _____

Link 1

A* - - - - - - (descend in semitones) - F

| / / / / | / / / / | / / / / | / / / / |

Verse 2

| E^5 | B^5

    Stars at my window

| E^5 |

    All say they don't know

B^5 | C^5 |

What's true

          B^5 $B♭^5$ | A^5 | B^5 | E^5

In letters   of   blue   (yeah   yeah).

          | B^5

You say you don't know

| E^5 |

    All there is to know,

B^5 | C^5 |

Well it's   true (yes it's true)

        B^5 $B♭^5$ | A^5 | A^{5*} |

In letters   of   glue.

Chorus 2

| A | Am | G♯m

And all I know is no-one is my friend,

| B | F♯m

And it's empty at the end,

| Am | E^5 | |

So you start again. _____ And

Chorus 3

   | A | Am | G#m

all I know is no-one is my friend,

        | B | F#m

And it's empty at the end,

        | Am | E⁵ | |

So you start again. ⎯⎯⎯⎯⎯⎯⎯

Link 2

    (descend in semitones)

A* ⎯⎯⎯⎯⎯⎯⎯⎯⎯⎯⎯⎯⎯⎯⎯⎯⎯⎯⎯⎯⎯⎯⎯⎯⎯ F

| / / / / | / / / / | / / / / | / / / / |

Guitar solo

E⁵

‖: / / / / | / / / / | / / / / | / / / / |

C⁵   A⁵

/ / / / | / / / / | / / / / | / / / / :‖

Chorus 4

      | A | Am | G#m

And all I know is no-one is my friend,

        | B | F#m

And it's empty at the end,

        ⎯⎯⎯⎯⎯ (as intro) ⎯⎯⎯⎯⎯

        | Am | A* | | | F | E⁵

So you start again.

Everybody Hurts

Words and Music by
MICHAEL MILLS, WILLIAM BERRY,
PETER BUCK AND MICHAEL STIPE

D	G	G/F#	Em	A	F#7

Bm	C	G/B	Am	D7	G7

♩· = 61

Intro

```
     D              G            D              G
12 | /. /. /. /. | /. /. /. /. | /. /. /. /. | /. /. /. /. ||
 8
```

Verse 1

| D | G
When your day is long   and the
| D | G
night, the night is yours alone, _____
| D
When you're sure you've had
| G | D | G   G/F# |
enough of this life, _____ well, hang on.

Chorus 1

| Em | A
Don't let yourself go,
| Em | A
'Cause everybody cries
| Em | A   N.C. | D
And everybody hurts some - times.

Verse 2

|G |D
Sometimes everything is wrong.

|G |D
Now it's time to sing along.

                               |G |D
When your day is night alone, (hold   on)

                       |G
If you feel like letting go,

|D
         When you think you've had too

|G |D |G   G/F♯ |
much of this life, well, hang on.

Chorus 2

| Em |A
      'Cause everybody hurts.

| Em |A
     Take comfort in your friends.

| Em |A
     Everybody hurts.

Bridge

| F♯7 | Bm | F♯7 | Bm |
    Don't throw your hand, oh, _____ no.

| F♯7 | Bm |
    Don't throw your hand. _____

|C |G
    If you feel like you're alone,

|C   G/B | Am   N.C. |
    No, no, no, you are not alone. _____   ⁄.

Verse 3

|D |G
     If you're on your own ____ in this

|D |G
life, the days and nights are long, ____

|D

When you think you've had too

|G |D |G   G/F♯ |

much of this life to hang on.

Chorus 3 |Em |A

Well, everybody hurts,

    |Em |A

Some - times everybody cries.

|Em $\frac{9}{8}$|A |N.C. $\frac{12}{8}$|D

Everybody hurts   /. /. some - times.

Coda |G |D |G

And everybody hurts some - times.

    |D⁷ |G

So, hold   on, hold   on.

‖: |D⁷ |G   :‖

Hold   on, hold   on.

    |D⁷ |G

Hold   on, hold   on,

     |D⁷ |G⁷ |D⁷ |

Everybody hurts.

|G⁷ |D⁷ |G⁷ |

   You are not alone.   /. /. /. /.

D⁷   G⁷   D⁷   *fade*

/. /. /. /. |/. /. /. /. |/. /. /. /. ‖

Everyday Is Like Sunday

Words and Music by
STEPHEN MORRISSEY AND STEPHEN STREET

C   C/B♭   Fmaj⁷/C   F   G   Am   G⁷

♩ = 114

Intro

C   C/B♭

$\frac{4}{4}$ ‖: / / / / | / / / / :‖ *Play 4 times*

Verse 1

|C | |Fmaj⁷/C |
Trudging slowly over wet sand
            |C | |Fmaj⁷/C |
Back to the bench where your clothes were stolen.
            |F |G
This is the coastal town
            |C |F
That they forgot to close down. _____
            |Am
Armageddon, come Armageddon,
| |F | |
Come, Armageddon, come!

Chorus 1

|C |G |F | |
Every day is like Sunday.
|C |G |F | |
Every day is   silent and grey.

Verse 2

|C |
    Hide on the promenade

   |Fmaj⁷/C |
Etch a postcard:

     |C | |Fmaj⁷/C |
'How I dearly wish I was not here.'

     |F |G
In the   seaside town

|C |F
    That they forgot to bomb.

   |Am | |F | |
Come, come, come nuclear bomb.

Chorus 2

|C |G |F | |
   Every day is like Sunday.

|C |G |F |
Every day is   silent and grey.

Bridge

|F |Am | |C |
   Trudging back over pebbles and sand,

  |Am | |G
And a strange dust lands on your hands⎯⎯

   |G⁷ |F |
And on your face.⎯⎯⎯

     |G |
On your face.

    |Fmaj⁷/C |
On your face.

     |G | |
On your face.⎯⎯⎯⎯

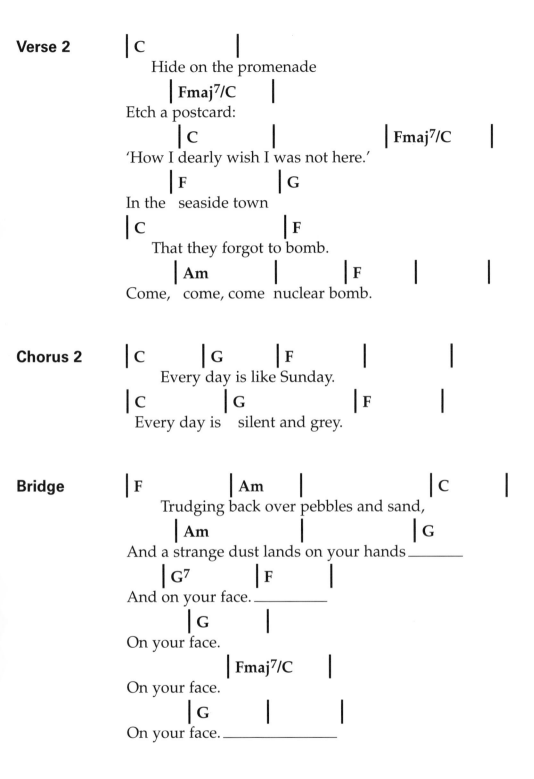

Chorus 3 |C |G |F | |
Every day is like Sunday:

|C |G |F | |
'Win Yourself A Cheap Tray'.

|C |G |F | |
Share some greased tea with me.

|C |G |F | |
Every day is silent and grey.

Coda   C   G   F

| /   /   /   / | /   /   /   / | /   /   /   / | /   /   /   / |

                C   G   F

| /   /   /   / | /   /   /   / | /   /   /   / | /   /   /   / |

                C   G   F

| /   /   /   / | /   /   /   / | /   /   /   / | /   /   /   / |

                C   G

| /   /   /   / | /   /   /   / | *(fade)*   ‖

Fat Lip

Words and Music by
GREIG NORI, DERYCK WHIBLEY,
STEVE JOCZ AND DAVE BAKSH

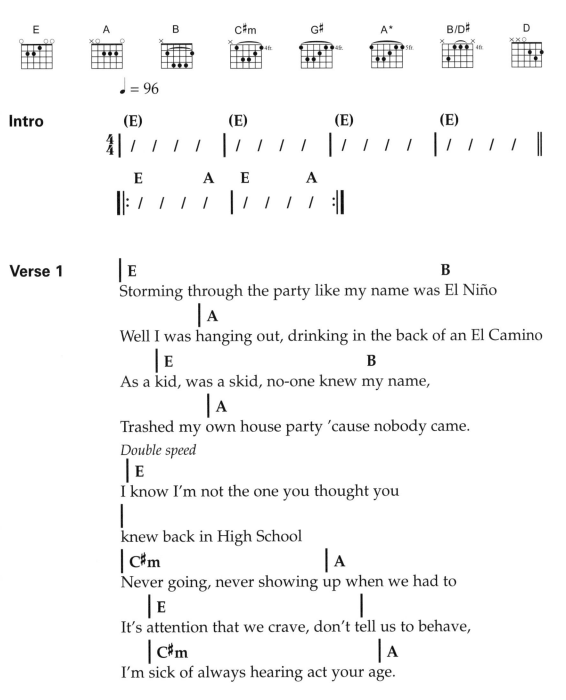

E   A   B   C#m   G#   A*   B/D#   D

♩ = 96

Intro

(E)   (E)   (E)   (E)

4/4 | / / / / | / / / / | / / / / | / / / / ‖

E   A   E   A

‖: / / / / | / / / / :‖

Verse 1

| E   B
Storming through the party like my name was El Niño
        | A
Well I was hanging out, drinking in the back of an El Camino
        | E   B
As a kid, was a skid, no-one knew my name,
        | A
Trashed my own house party 'cause nobody came.

Double speed
        | E
I know I'm not the one you thought you
|
knew back in High School
| C#m | A
Never going, never showing up when we had to
        | E |
It's attention that we crave, don't tell us to behave,
        | C#m | A
I'm sick of always hearing act your age.

Chorus 1

```
                    | E    B  | C#m
I don't wanna      waste my time,
                    | G#  A*   | G#  A*
Become another casualty of soci  -  ety
               | E   B  | C#m
I'll never fall  in  line,
                       | G#    A*        | G#  A*
Become another victim of your conformity.
```

And back

($\bullet$ = 96)

Link 1

```
      E           A   E      A   E      A   E      A
  | /    /  /  / | /  /  /  / | /  /  /  / | /  /  /  / ‖
  down.
```

Verse 2

```
| N.C.              | E                                    B
Because you don't know us at all, we laugh when old people fall.
     | A
But what would you expect with a conscience so small,
        | E                      B
Heavy metal and mullets is how we were raised,
| A
Maiden and Priest were the Gods that we praised.
```
Double speed
```
          | E                              |
'Cause we like having fun at other people's expenses
| C#m                         | A
Driving people down is just a minor offence then
     | E                      |
It's none of your concern, I guess they'll never learn
     | C#m                      | A
I'm sick of being told to wait my turn.
```

Chorus 2

```
              |E     B |C#m
I don't wanna    waste my time,
              |G#  A*    |G#   A*
Become another casualty of soci  -  ety
           |E  B |C#m
I'll never fall  in  line,
                |G#    A*       |G#  A*
Become another victim of your conformity.
```

And back

($\downarrow$ = 96)

Link 2

```
     E        A   E     A   E                        N.C.
|  /    /  /  /  |  /  /  /  /  |  /  /  /  /  |  /  /  /  /  ‖
down.
```

Bridge

```
|E        B/D#    |C#m   A
   Don't count on me,   to let you know when.
|E        B/D#    |C#m   A
   Don't count on me,   I'll do it again,
|E        B       |C#m      A
   Don't count on me, it's the point you're missing,
|E        B       |C#m         A
   Don't count on me, 'cause I'm not listening.
```

Verse 3

```
              |D   E                  D    E   A
Well I'm a        no-good nick lower middle-class brat,
           |D  E                D   E   A
Back-packed and I don't give a sh** about nothing,
            |N.C.
You'll be sitting on the corner talking all that kufuffin',
             |D   E                 D  E     A
Well you don't make sense with all the gas you'll be huffin'
```

|D E   D   E   N.C.
'Cause if the egg don't stain, you'll be ringing off the hook,
        |D E N.C.   D   E A
You're on the hit list, wanted in the telephone book.
         |D   E   D   E   A
I like the songs with distortion, to drink in proportion,
|N.C.
The doctor said my mum should have had an abortion.

Link 3

                                    D
| N.C. (drums) | / / / / |

Double speed

Chorus 3 |D |E   B |C♯m
         I don't wanna   waste my time,
                      |G♯ A* |G♯   A*
Become another casualty of soci - ety
              |E   B |C♯m
I'll never fall in line,
                |G♯   A* |G♯ A*
Become another victim of your conformity.

And back

(♩ = 96)

Chorus 4 |E   B/D♯ C♯m
{ Waste my   time with them _____
{ down.
         |G♯ A*   G♯   A*
(Casualty of soci - ety)
         |E   B/D♯ C♯m
Waste   my   time with them _____

|G♯   A*   G♯ A*
(Victim of your conformity.)

And back

Coda

     E   A   E   A   E   A

| /   /   /   / | /   /   /   / | /   /   /   /

down.

     E   A   E

| /   /   /   / | /   /   /

Fast Car

Words and Music by
TRACY CHAPMAN

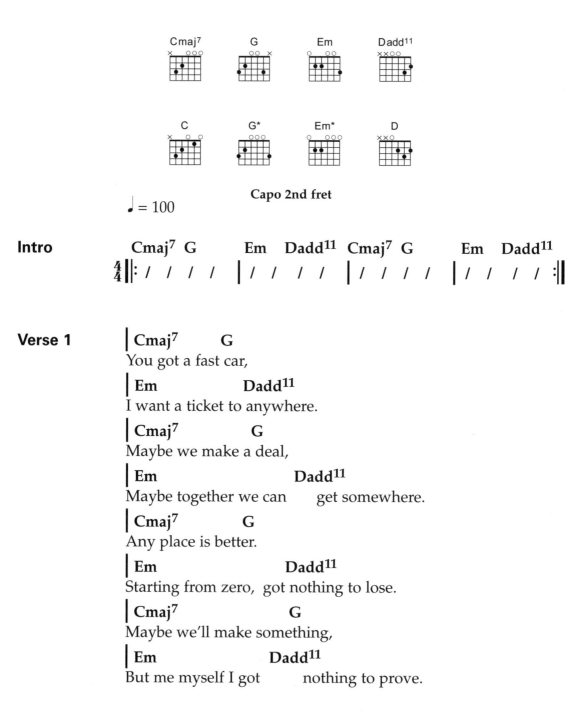

Capo 2nd fret

$\downarrow$ = 100

Intro

| Cmaj7 G | Em Dadd11 | Cmaj7 G | Em Dadd11 |

4/4 : / / / / | / / / / | / / / / | / / / / :

Verse 1

| Cmaj7   G
You got a fast car,

| Em   Dadd11
I want a ticket to anywhere.

| Cmaj7   G
Maybe we make a deal,

| Em   Dadd11
Maybe together we can   get somewhere.

| Cmaj7   G
Any place is better.

| Em   Dadd11
Starting from zero, got nothing to lose.

| Cmaj7   G
Maybe we'll make something,

| Em   Dadd11
But me myself I got   nothing to prove.

Link 1

Cmaj⁷ G   Em Dadd¹¹ Cmaj⁷ G   Em Dadd¹¹

| / / / / | / / / / | / / / / | / / / / |

Verse 2

| Cmaj⁷   G
You got a fast car
| Em   Dadd¹¹
And I got a plan   to get us out of here:
  | Cmaj⁷   G
I been working at the convenience store,
| Em   Dadd¹¹
Managed to save just a little bit of money.
| Cmaj⁷   G
We won't have to drive too far
  | Em   Dadd¹¹
Just 'cross the border and   into the city,
| Cmaj⁷ G
You and I can both get jobs
  | Em   Dadd¹¹
And finally see what it means to be living.

Link 2

Cmaj⁷ G   Em Dadd¹¹ Cmaj⁷ G   Em Dadd¹¹

| / / / / | / / / / | / / / / | / / / /

Verse 3

    | Cmaj⁷   G
You see my old man's got a problem:
  | Em   Dadd¹¹
He live with the bottle, that's the way it is.
    | Cmaj⁷   G
He says his body's too old for working,
  | Em   Dadd¹¹
I say his body's too young to look like his.
  | Cmaj⁷   G
My mama went off and left him,

| Em   Dadd^{11}
She wanted more from life than he could give,
      | Cmaj^7 G
I said, 'Somebody's got to take care of him.'
   | Em   Dadd^{11}
So I quit school and that's what I did.

Link 3   Cmaj^7 G   Em Dadd^{11} Cmaj^7 G   Em Dadd^{11}

| / / / / | / / / / | / / / / | / / / / |

Verse 4 | Cmaj^7 G
You got a fast car
       | Em   Dadd11
But is it fast enough so we can fly away?
| Cmaj7   G
We gotta make a decision:
| Em   Dadd11
We leave tonight or live and die this way.

Link 4   Cmaj^7 G   Em Dadd^{11} Cmaj^7 G

| / / / / | / / / / | / / / / |

Chorus 1   Em   Dadd^{11} | C
  So remember we were driving, driving in your car,
   | G*
The speed so fast I felt like I was drunk,
| Em*
    City lights lay out before us
       | D
And your arm felt nice wrapped 'round my shoulder.
     | C Em* | D
And I   had a feeling that I belonged

```
|C   Em*    |D                        |C
 I            had feeling I could be someone, be someone,
 D
     Be someone.
```

Link 5

```
Cmaj7 G      Em  Dadd11 Cmaj7 G      Em  Dadd11
| / / / /  | / / / /  | / / / /  | / / / /
```

Verse 5

```
|Cmaj7      G
 You got a fast car
    |Em                     Dadd11
 And we go cruising to entertain ourselves;
     |Cmaj7      G
 You still ain't got a job
      |Em              Dadd11
 And I work in a market as a checkout girl.
 |Cmaj7              G
 I know things will get better:
 |Em                 Dadd11
 You'll find work and I'll get promoted,
 |Cmaj7              G
 We'll move out of the shelter
 |Em                   Dadd11
 Buy a bigger house and live in the suburbs.
```

Link 6

```
Cmaj7 G      Em  Dadd11 Cmaj7 G
| / / / /  | / / / /  | / / / /  |
```

Chorus 2

```
Em     Dadd11          |C
   So remember we were driving, driving in your car,
      |G*
 The speed so fast I felt like I was drunk,
```

| Em*

    City lights lay out before us

       | D

And your arm felt nice wrapped 'round my shoulder.

| C   Em* | D

And I   had a feeling that I belonged

| C   Em* | D | C

I   had feeling I could be someone, be someone,

D

    Be someone.

Link 7   Cmaj⁷ G   Em Dadd¹¹ Cmaj⁷ G   Em Dadd¹¹

| / / / / / | / / / / / | / / / / / | / / / / / |

Verse 6 | Cmaj⁷   G

You got a fast car

    Em   Dadd¹¹

And I got a job that pays all our bills.

    | Cmaj⁷   G

You stay out drinking late at the bar,

     | Em   Dadd¹¹

See more of your friends than you   do of your kids.

| Cmaj⁷ | G

I'd always hoped for better,

    | Em   Dadd¹¹

Thought maybe together you and me would find it,

 | Cmaj⁷   G

I got no plans I ain't going nowhere,

 | Em   Dadd¹¹

So take your fast car and keep on driving.

Link 8   Cmaj⁷ G   Em Dadd¹¹ Cmaj⁷ G

| / / / / / | / / / / / | / / / / / |

Chorus 3

Em   Dadd¹¹ |C

So remember we were driving, driving in your car,

  |G*

The speed so fast I felt like I was drunk,

|Em*

    City lights lay out before us

       |D

And your arm felt nice wrapped 'round my shoulder.

|C   Em* |D

And I   had a feeling that I belonged

|C   Em* |D |C

I   had feeling I could be someone, be someone,

D

    Be someone.

Link 9

Cmaj⁷ G   Em Dadd¹¹ Cmaj⁷ G   Em Dadd¹¹

| / / / / | / / / / | / / / / | / / / / |

Verse 7

|Cmaj⁷   G

You got a fast car

  |Em   Dadd¹¹

But is it fast enough so you can   fly away?

|Cmaj⁷   G

You gotta make a decision:

|Em   Dadd¹¹

You leave tonight or live and die this way.

Coda

Cmaj⁷ G   Em Dadd¹¹ Cmaj⁷ G   Em Dadd¹¹

| / / / / | / / / / | / / / / | / / / / |

Cmaj⁷ G   Em Dadd¹¹ Cmaj⁷ G

| / / / / | / / / / | / / / / ‖

Fell In Love With A Girl

Words and Music by
JACK WHITE

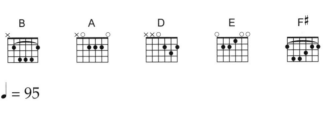

♩ = 95

Intro

    B   **A**   **D**   **E**

$\frac{4}{4}$| / / / / | / / / / ‖

Verse 1

| **B**   **A**
    Fell in love with a girl:

| **D**   **E**
I fell in love once and almost completely.

| **B**   **A**
    She's in love with the world

        | **D** | **E**
But sometimes these feelings can be so misleading.

| **F♯**   **A**
    She turns and says, 'Are you alright?'

       | **D**   **E**
I said, 'I must be fine 'cause my heart's still beating.'

| **F♯**   **A**
    'Come and kiss me by the riverside, yeah,

| **F♯**   **N.C.**
Bobby says it's fine – he don't consider it cheating, now.'

Verse 2

| **B**   **A**
    Red hair with a curl,

|D   E

Mellow roll for the flavour, and the eyes for peeping.

|B   A

 Can't keep away from the girl.

  |D   E

I see stars in my brain, need a hallowed meeting.

|F♯   A

 Can't think of anything to do, yeah,

  |D   E

My left brain knows that our love is fleeting.

|F♯   A

 She's just looking for something new

    |F♯ N.C.

Yeah, I said it once before but it bears repeating now.

Link 1 ‖: B A |D E :‖

      Ah, _____ Ah. _____

Verse 3 |F♯   A

     Can't think of anything to do, yeah,

    |D |E

 My left brain knows that all love is fleeting.

 |F♯   A

   She's just looking for something new.

    |F♯ N.C.

 Well, I said it once before but it bears repeating now.

Verse 4 |B   A

     Fell in love with a girl:

   |D   E

 I fell in love once and almost completely.

 |B   A

   She's in love with the world

Verse 4

                  |D |E

But sometimes these feelings can be so misleading.

|F♯   A

She turns and says, 'Are you alright?'

      |D   E

I said, 'I must be fine 'cause my heart's still beating.'

|F♯   A

'Come and kiss me by the riverside, yeah,

|F♯   N.C.

Bobby says it's fine – he don't consider it cheating, now.'

Link 2

‖: B   A |D   E   :‖

Ah, ——————   Ah. ——————

Verse 5

|F♯   A

Can't think of anything to do, yeah,

      |D |E

My left brain knows that all love is fleeting.

|F♯   A

She's just looking for something new.

      |F♯   N.C. |B

Well, I said it once before but it bears repeating now.

Fireworks

Words and Music by
DANIEL McNAMARA AND RICHARD McNAMARA

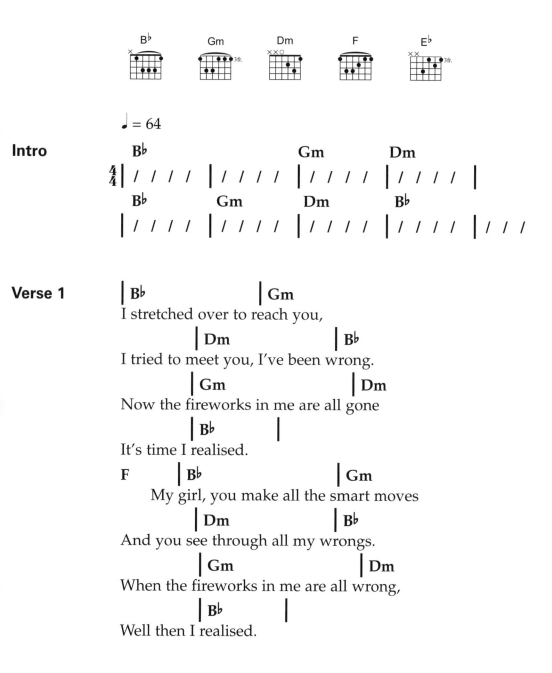

♩ = 64

Intro

Bb ∕ ∕ ∕ ∕ | ∕ ∕ ∕ ∕ | Gm ∕ ∕ ∕ ∕ | Dm ∕ ∕ ∕ ∕ |

(4/4)

Bb ∕ ∕ ∕ ∕ | Gm ∕ ∕ ∕ ∕ | Dm ∕ ∕ ∕ ∕ | Bb ∕ ∕ ∕ ∕ | ∕ ∕ ∕

Verse 1

| Bb | Gm
I stretched over to reach you,
          | Dm | Bb
I tried to meet you, I've been wrong.
          | Gm | Dm
Now the fireworks in me are all gone
          | Bb |
It's time I realised.
F | Bb | Gm
   My girl, you make all the smart moves
          | Dm | Bb
And you see through all my wrongs.
          | Gm | Dm
When the fireworks in me are all wrong,
          | Bb |
Well then I realised.

Chorus 1

| Eb

And I don't need convincing,

| Dm   F | Bb | Gm

    I've seen enough to want to try and change things._____

                    | F

You fell in love, I fell in line,

              | Eb

I thought I'd ____ found my place

| Gm | F

    Before I knew how much it cost to play it safe.

| Eb | | Bb

    Have I left you? – I never let you down.

Link

Gm   Dm   F

| / / / / | / / / / | / / / /

Verse 2

| Bb | Gm

I work all day and I won't fight

           | Dm | Bb

When it feels right and it's wrong.

           | Gm | Dm

When the fireworks in me are all gone,

          | Bb |

Well then I realise.

Chorus 2

| Eb

And I won't need convincing,

| Dm   F | Bb | Gm

    I've seen enough to want to try and change things._____

                    | F

You fell in love, I fell in line,

              | Eb

I thought I'd ____ found my place

| Gm | F

Before I knew how much it cost to play it safe.

| E♭ | | B♭

Could I leave you? – I never let you down.

Coda / Solo

| Gm   Dm   B♭   Gm |

| / / / / | / / / / | / / / / | / / / / |

| Dm   B♭   B♭   B♭   B♭ |

| / / / / | / / / / | / / / / | / / / / | / | ‖

Fly Away

Words and Music by
LENNY KRAVITZ

A   B   C   G   D

♩ = 155

Intro

A   B   C   G   D

𝄆 / / / / | / / / / | / / / / | / / / / 𝄇

Play 4 times

Verse 1

| (A) | (C) | (G) | (D)
I wish that I could fly into the sky so very high

| (A) | (C) | (G) | (D)
Just like a dragonfly.

| (A) | (C) | (G) | (D)
I'd fly above the trees, over the seas, in all degrees,

| (A) | (C) | (G) | (D)
To anywhere I please. _____

Chorus 1

     | A   B | C
Oh   I want to get away,

| G | D | A   B | C | G | D
I wanna fly away yeah, yeah, yeah.

| A   B | C
I want to get away,

| G | D | A   B | C | G | D |
I wanna fly away yeah, yeah, yeah.

Verse 2

| A   B | C | G | D

Let's go and see the stars, the Milky Way, or even Mars.

| A   B | C | G | D

Well it could just be us.

| A   B | C | G | D

Let's fade into the sun, let your spirit fly, for we are one.

| A   B | C | G | D

Just for a little fun,   oh, oh,   oh yeah!

Chorus 2

‖: A   B | C

I want to   get away,

| G | D | A   B | C | G | D :‖

I wanna fly away   yeah, yeah, yeah.

Instrumental   (A)   (C)   (G)   (D)   (A)   (C)   (G)

| / / / / | / / / / | / / / / | / / / / | / / / / | / / / / | / / / / |

| (D) | (A) | (C) | (G)

I got to get away, get away.

| (D) | (A) | (C)

Girl, I gotta get away, get away.

| (G) | D

Oh, oh,   oh yeah.

Chorus 3

| A   B | C

I want to get away,

| G | D | A   B | C | G | D

I wanna fly away   yeah, with you, yeah, oh yeah!

| A   B | C

I want to get away,

| G | D | A   B | C | G | D

I wanna to fly away yeah, with you, yeah, I gotta get away!

Chorus 4

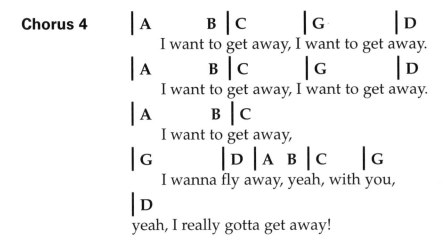

|A   B |C |G |D
I want to get away, I want to get away.
|A   B |C |G |D
I want to get away, I want to get away.
|A   B |C
I want to get away,
|G |D |A B |C |G
I wanna fly away, yeah, with you,
|D
yeah, I really gotta get away!

Chorus 5

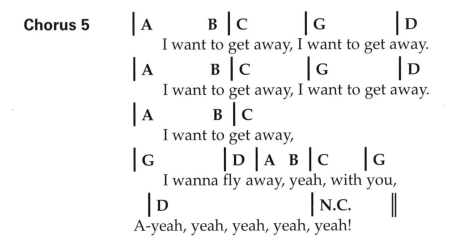

|A   B |C |G |D
I want to get away, I want to get away.
|A   B |C |G |D
I want to get away, I want to get away.
|A   B |C
I want to get away,
|G |D |A B |C |G
I wanna fly away, yeah, with you,
|D |N.C.   ‖
A-yeah, yeah, yeah, yeah, yeah!

Future Boy

Words and Music by
OLLY KNIGHTS AND **GALE PARIDJANIAN**

D   Dmaj⁷   D⁷   G

♩ = 70

Intro

| D | Dmaj⁷ | D⁷ | G |

4/4 | / / / / | /   / / / | / / / / | / / /

Verse 1

  | D
So future boy – where are you from?
  | Dmaj⁷
'My time machine crashed over yonder.'
| D⁷ | G | D
     Syphilis is a bitch but contracting HIV is much worse.
          | Dmaj⁷
'Why are you pushing info into me?
    | D⁷ | G
I have no need——— for it,   I'm from the stars.'

Verse 2

  | D
'I thought you'd like to know your scoop:
  | Dmaj⁷
I'm taking babies back with me;
| D⁷
Yeah, I'm taking them back home
  | G | D
So they can see there's a much better place. ———

|Dmaj⁷
I got a sister with an open mind,
|D⁷
And my friends are all junkies
|G
But they're still my friends.'

Verse 3 |D |Dmaj⁷
'As long as they don't use monkeys, ——————
                          |D⁷
We enjoy the heat, the stolen days
                              |G
In the summer of '93.'
                  |D
Well the future boy said, 'I've got friends
                  |Dmaj⁷
But you know sometimes it all depends
|D⁷ |G
On how tall they are – I guess you're the same.'

Chorus 1   ‖: D |Dmaj⁷
'(Hello), I am the future boy, (hello), I am the future boy.
      |D⁷ |G   :‖
(Hello), I am the future boy,   I am the future boy.'

Guitar solo   D   Dmaj⁷   D⁷   G
| / / / / | /   / / / | / / / / | / / / / |

Verse 4 |D |Dmaj⁷
      'Now my friends have all gone and left me
                              |D⁷
So I decided to come here   and see

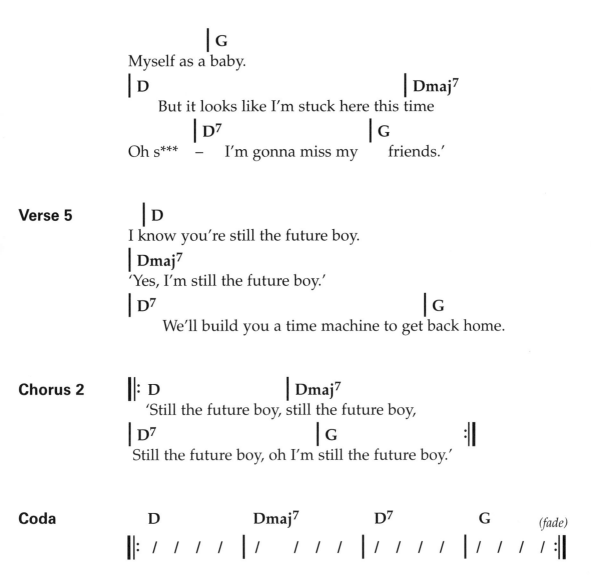

| G
Myself as a baby.

| D | Dmaj⁷
But it looks like I'm stuck here this time

       | D⁷ | G
Oh s*** –   I'm gonna miss my   friends.'

Verse 5

| D
I know you're still the future boy.

| Dmaj⁷
'Yes, I'm still the future boy.'

| D⁷ | G
We'll build you a time machine to get back home.

Chorus 2

‖: D | Dmaj⁷
'Still the future boy, still the future boy,

| D⁷ | G   :‖
Still the future boy, oh I'm still the future boy.'

Coda

D   Dmaj⁷   D⁷   G   *(fade)*

‖: / / / / | / / / / | / / / / | / / / / :‖

Going Places

Words and Music by
GERARD LOVE

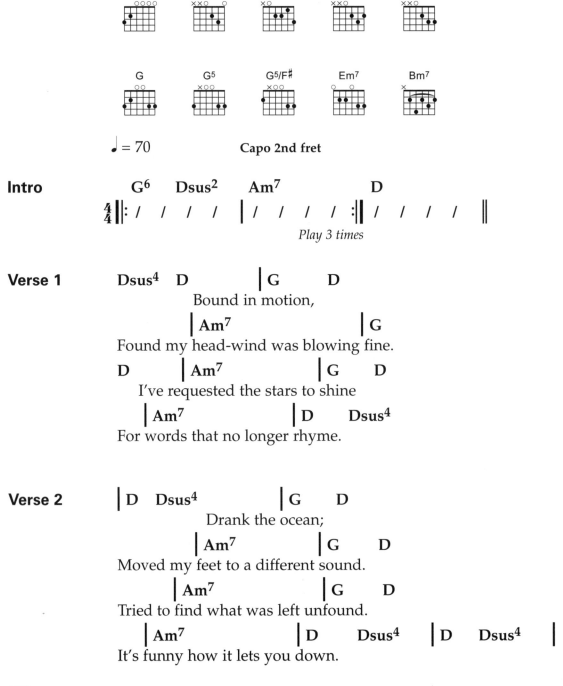

$\quad \bullet = 70$ **Capo 2nd fret**

Intro

> G⁶   Dsus²   Am⁷   D

Play 3 times

Verse 1

Dsus⁴   D | G   D
     Bound in motion,
     | Am⁷ | G
Found my head-wind was blowing fine.
D | Am⁷ | G   D
     I've requested the stars to shine
     | Am⁷ | D   Dsus⁴
For words that no longer rhyme.

Verse 2

| D   Dsus⁴ | G   D
     Drank the ocean;
     | Am⁷ | G   D
Moved my feet to a different sound.
      | Am⁷ | G   D
Tried to find what was left unfound.
      | Am⁷ | D   Dsus⁴ | D   Dsus⁴ |
It's funny how it lets you down.

Chorus 1

G5   G5/F♯ | Em7
   Just kick my feet off the ground,

     D | Am7   Bm7 | Am7   Dsus4   D |
   I'll embrace the sky   /   /   /   /

| G5   G5/F♯ | Em7   D | Am7   Bm7
   I've got no beat in time,   got no place in line.

Link

   Am7   D   Dsus4   D
  2/4 /   / | /   /   /   / | /   /   /   / |

Instrumental   G   D   Am7   D   Dsus4

  4/4 ‖: /   /   /   / | /   /   /   /   :‖ /   /   /   / |

                    Play 3 times

Verse 3   D   Dsus4 | G   D
        Got the notion

     | Am7 | G   D
  That this rain's never gonna last

     | Am7 | G   D
  'Cause the scene always moves too fast:

     | Am7 | D   Dsus4 | D   Dsus4 |
  I've read all about the past.

Chorus 2

G5   G5/F♯ | Em7
   Just kick my feet off the ground,

     D | Am7   Bm7 | Am7   Dsus4   D |
   I'll embrace the sky   /   /   /   /

| G5   G5/F♯ | Em7
   I've got no beat in time,

     D | Am7   Bm7 | Am7   Bm7 |
  got no place in line.

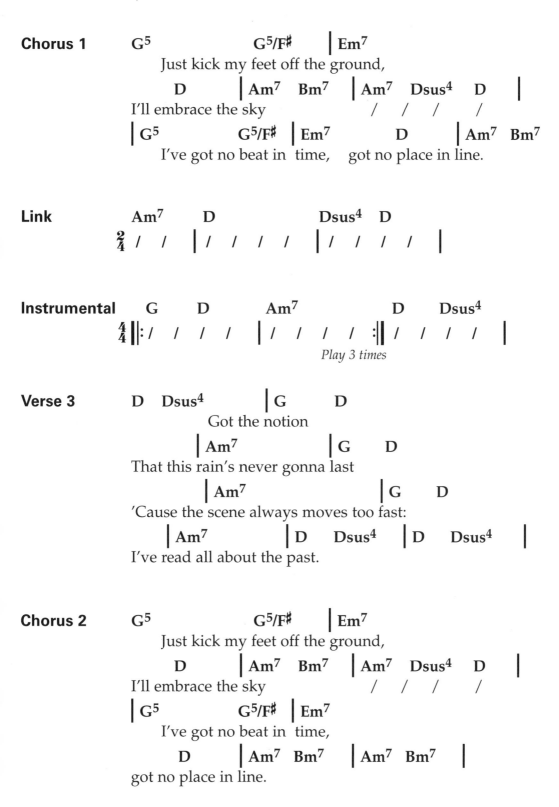

Instrumental chorus

G⁵   G⁵/F♯   Em⁷ D   Am⁷ Bm⁷   Am⁷ Dsus⁴ D

‖: / / / / | / / / / | / / / / | / / / / / :‖

Vocal ad lib.

Chorus 3

‖: G⁵   G⁵/F♯ | Em⁷

Just kick my feet off the ground,

      D | Am⁷ Bm⁷ | Am⁷ Dsus⁴ D |

I'll embrace the sky   / / /   /

| G⁵   G⁵/F♯ | Em⁷

    I've got no beat in time,

      D | Am⁷ Bm⁷ | Am⁷ Dsus⁴ D   :‖

got no place in line.   / / /   /

Repeat chorus
to fade

Good Riddance
(Time Of Your Life)

Words and Music by
BILLIE-JO ARMSTRONG, FRANK WRIGHT
AND MICHAEL PRITCHARD

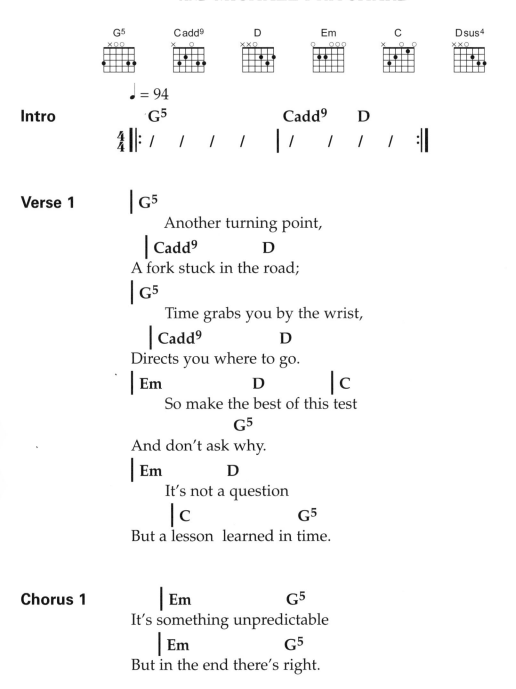

$\downarrow$ = 94

Intro

G5   Cadd9   D

$\frac{4}{4}$ ‖: / / / / | / / / / :‖

Verse 1

| G5

　　　Another turning point,

| Cadd9　　　　D

A fork stuck in the road;

| G5

　　　Time grabs you by the wrist,

| Cadd9　　　　D

Directs you where to go.

| Em　　　　D　　　| C

　　　So make the best of this test

　　　　G5

And don't ask why.

| Em　　　　D

　　　It's not a question

　　| C　　　　　　G5

But a lesson learned in time.

Chorus 1

　　| Em　　　　　G5

It's something unpredictable

　　| Em　　　　　G5

But in the end there's right.

| **Em**   **D** | **G⁵** | **Cadd⁹**   **D** |

I hope you had the time of your life.

Link 1   G⁵   Cadd⁹   D

| / / / / | / / / / |

Verse 2 | G⁵

So take the photographs

| Cadd⁹   D

And still-frames in your mind.

| G⁵ | Cadd⁹   D

Hang it on a shelf in good health and good time.

| Em   Dsus⁴ | C   G⁵

Tattoos of memories and dead skin on trial.

| Em   D

For what it's worth

| C   G⁵

It was worth all the while.

Chorus 2 | Em   G⁵

It's something unpredictable

| Em   G⁵

But in the end there's right.

| Em   D | G⁵ | Cadd⁹   D |

I hope you had the time of your life.

Link 2   G⁵   Cadd⁹   D

||: / / / / | / / / / :|| *Play 3 times*

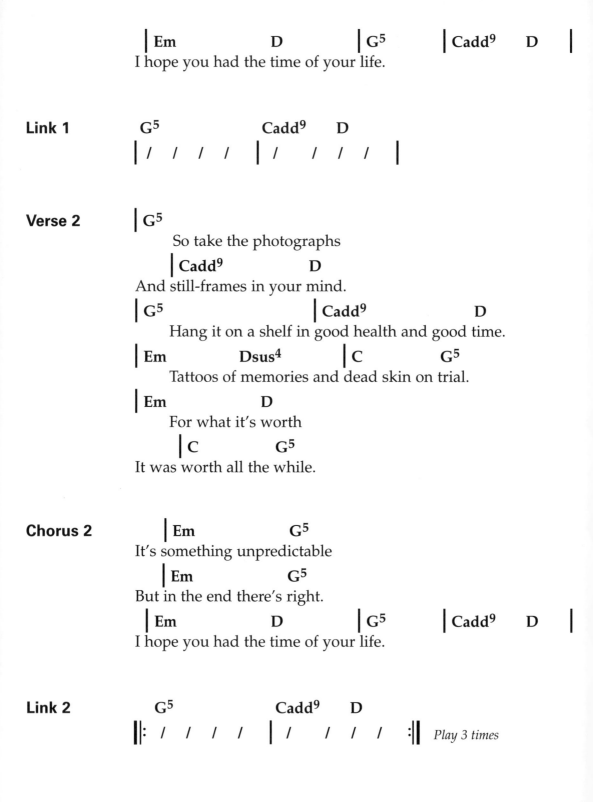

Instrumental   Em   D   C   G⁵   Em   D   Cadd⁹ G⁵

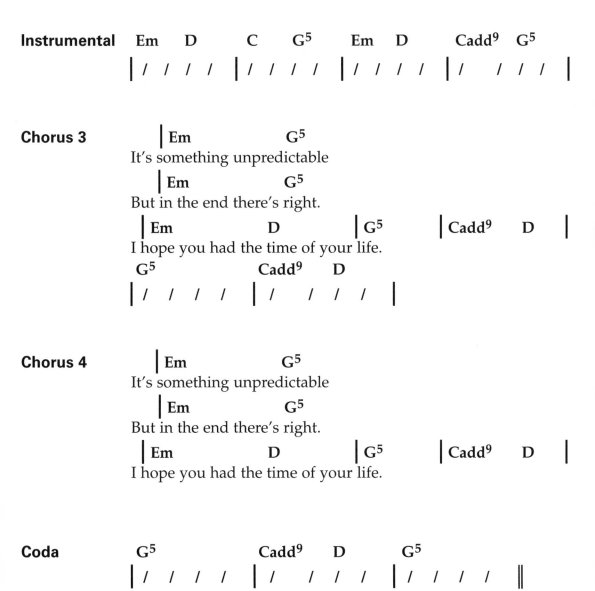

Chorus 3
|Em   G⁵
It's something unpredictable
|Em   G⁵
But in the end there's right.
    |Em   D |G⁵ |Cadd⁹   D |
I hope you had the time of your life.
    G⁵   Cadd⁹   D

Chorus 4
|Em   G⁵
It's something unpredictable
|Em   G⁵
But in the end there's right.
    |Em   D |G⁵ |Cadd⁹   D |
I hope you had the time of your life.

Coda   G⁵   Cadd⁹   D   G⁵

Heaven Knows I'm Miserable Now

Words and Music by
STEPHEN MORRISSEY AND JOHNNY MARR

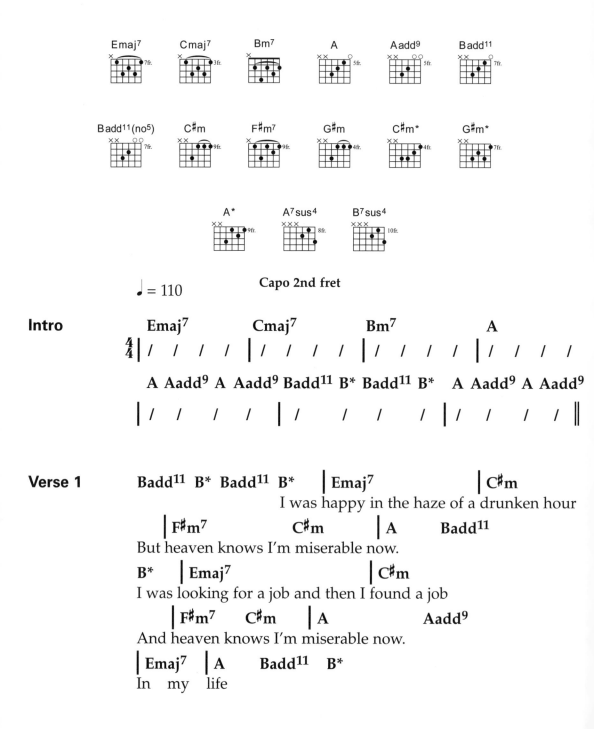

$\bullet$ = 110   Capo 2nd fret

Intro

     Emaj⁷   Cmaj⁷   Bm⁷   A

4/4 | / / / / | / / / / | / / / / | / / / /

A Aadd⁹ A Aadd⁹   Badd¹¹ B* Badd¹¹ B*   A Aadd⁹ A Aadd⁹

| / / / / | / / / / | / / / / ‖

Verse 1

Badd¹¹ B* Badd¹¹ B* | Emaj⁷ | C#m

I was happy in the haze of a drunken hour

| F#m⁷   C#m | A   Badd¹¹

But heaven knows I'm miserable now.

B* | Emaj⁷ | C#m

I was looking for a job and then I found a job

| F#m⁷   C#m | A   Aadd⁹

And heaven knows I'm miserable now.

| Emaj⁷ | A   Badd¹¹   B*

In   my   life

| Emaj⁷　　　　　　|A　　　G♯m
Why do I give valuable time

　　|C♯m*　　　　　G♯m* |A* |A　Badd¹¹ |A　G♯m |
To people who don't care if I live or　die?

Link 1

C♯m*　G♯m*　　A*　　　　　　　A　　　　　　　Badd¹¹

| / 　/ 　/ 　/ | / 　/ 　/ 　/ | / 　/ 　/ 　/ | / 　/ 　/ 　/

Verse 2

　　| Emaj⁷　　　　| C♯m
Two lovers entwined pass me by

　　| F♯m⁷　　　　C♯m　　| Badd¹¹
And heaven knows I'm miserable now.

　　| Emaj⁷　　　　　　　　| C♯m
I was looking for a job and then I found a job

　　| F♯m⁷　　C♯m　　| Badd¹¹
And heaven knows I'm miserable now.

| Emaj⁷　| C♯m
In my　　life

| F♯m⁷　　　　　　| Badd¹¹
Why do I give valuable time

　　| Emaj⁷　　　　　　| C♯m　| F♯m⁷　　　| Badd¹¹　|
To people who don't care if I live or　　die? _____

Link 2

Emaj⁷　　　　　Cmaj⁷　　　　Bm⁷　　　　　　A

| /　(/ / /) | /　(/ / /) | /　(/ / /) | /　(/ / /)

　A Aadd⁹ A Aadd⁹ Badd¹¹ B* Badd¹¹ B*　A Aadd⁹ A Aadd⁹

| / 　/ 　/ 　/ | / 　　/ 　/ 　/ | / 　/ 　/ 　/ |

Verse 3

Badd¹¹ B* Badd¹¹ B*　　| Emaj⁷　　　　| C♯m
　　　　　　　　　What she asked of me at the end of the day

　　| F♯m⁷　C♯m　　| A　　Badd¹¹
Caligula　would have blushed.

B*　　| Emaj⁷　　　　| C♯m
'Oh you've been in the house too long', she said,

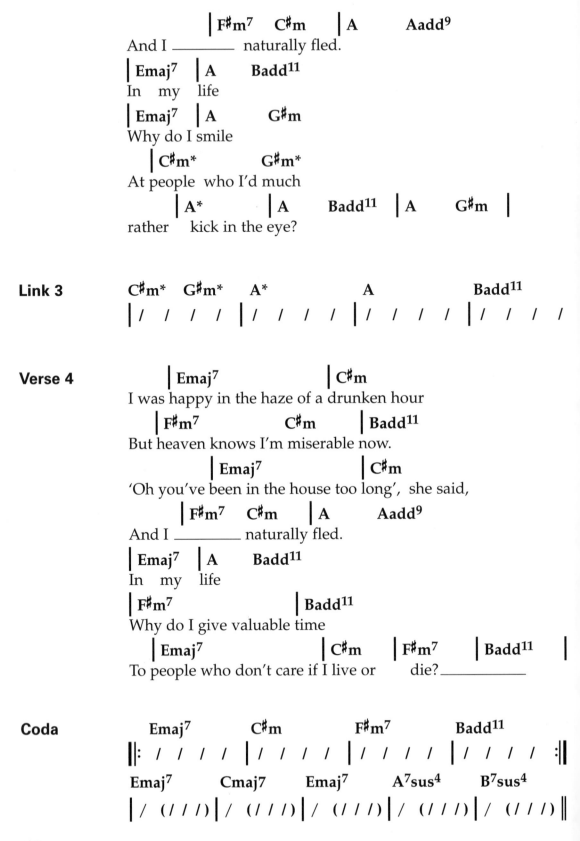

Hotel Yorba

Words and Music by
JACK WHITE

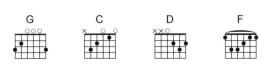

♩ = 97

Intro

G

4/4 | / / / / | / / / |

Verse 1

| G
I was watching
| C
With one eye on the other side,
| D
I had 15 people telling me to move,
| G
I got moving on my mind.

|
I found shelter
| C
In some thoughts turning wheels around.
| D
I said thirty-nine times that I love you
| G
To the beauty I have found.

Chorus 1

| G
Well, it's one, two, three, four, take the elevator

|C
At the Hotel Yorba I'll be glad to see ya later

|D |G   F   G |
   All they got inside is vacancy.   /   /   /

Link 1

    G   C   D   G

| / / / / | / / / / | / / / / | / / / /

Verse 2

    |G
I've been thinking

    |C
Of a little place down by the lake:

    |D
They got a dirty, old road

Leading up to the house

    |G
I wonder how long it will take

    |

'Til we're alone?

      |C
Sitting on the front porch of that home,

|D
Stomping our feet on the wooden boards;

    |G
We never got to worry about locking the door.

Chorus 2

     |G
Well, it's one, two, three, four, take the elevator

    |C
At the Hotel Yorba I'll be glad to see ya later

|D |G   F   G |
   All they got inside is vacancy.   /   /   /

Link 2

| G | C | D | G |

| / / / / | / / / / | / / / / | / / / |

Verse 3

|G
It might sound silly
|C
For me to think childish thoughts like these
|D
But I'm so tired of acting tough
|G
And I'm gonna do what I please.
|
Let's get married
|C
In a big cathedral by a priest,
|D
'Cause if I'm the man that you love the most
|G
You can say 'I do' at least.

Chorus 3

|G
Well, it's one, two, three, four, take the elevator
|C
At the Hotel Yorba I'll be glad to see ya later
|D |G
    All they got inside is vacancy.

Chorus 4

|G
And it's four, five, six, seven, grab your umbrella,
|C
Grab a hold of me 'cause I'm your favourite fella,
|D |G   C   G   D   G   ‖
    All they got inside is vacancy.

Hotel California

Words and Music by
DON HENLEY, GLENN FREY AND DON HELDER

Bm F#7 A E9 G D Em7

♩ = 71

Intro

| Bm | F#7 | A | E9 |

| G | D | Em7 | F#7 |

Verse 1

| **Bm** | | **F#7** |

On a dark desert highway,   cool wind in my hair,

| **A** | | **E9** |

Warm smell of colitas   rising up through the air.

| **G** | | **D** |

Up ahead in the distance   I saw a shimmering light,

| **Em7** |

My head grew heavy and my sight grew dim;

| **F#7** |

I had to stop for the night..

Verse 2

| **Bm** | | **F#7** |

There she stood in the doorway;   I heard the mission bell,

| **A** |

And I was thinking to myself this could be

| **E9** |

heaven or this could be hell.

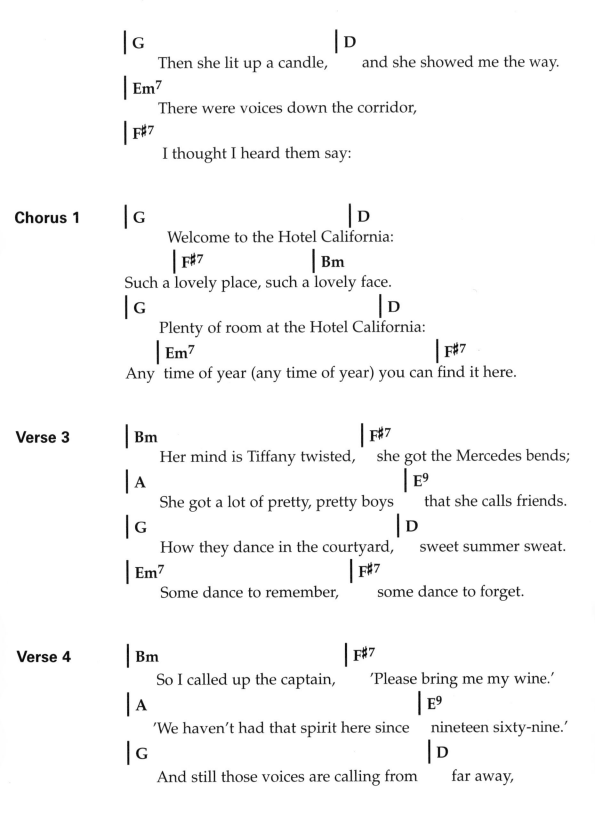

G		D
Then she lit up a candle, and she showed me the way.

| Em⁷ |
There were voices down the corridor,

| F♯⁷ |
I thought I heard them say:

Chorus 1

| G | D |
Welcome to the Hotel California:

| F♯⁷ | Bm |
Such a lovely place, such a lovely face.

| G | D |
Plenty of room at the Hotel California:

| Em⁷ | F♯⁷ |
Any time of year (any time of year) you can find it here.

Verse 3

| Bm | F♯⁷ |
Her mind is Tiffany twisted, she got the Mercedes bends;

| A | E⁹ |
She got a lot of pretty, pretty boys that she calls friends.

| G | D |
How they dance in the courtyard, sweet summer sweat.

| Em⁷ | F♯⁷ |
Some dance to remember, some dance to forget.

Verse 4

| Bm | F♯⁷ |
So I called up the captain, 'Please bring me my wine.'

| A | E⁹ |
'We haven't had that spirit here since nineteen sixty-nine.'

| G | D |
And still those voices are calling from far away,

| **Em⁷**

Wake you up in the middle of the night

| **F♯⁷**

just to hear them say:

Chorus 2

| **G** | **D**

Welcome to the Hotel California:

| **F♯⁷** | **Bm**

Such a lovely place, such a lovely face.

| **G** | **D**

They living it up at the Hotel California:

| **Em⁷** | **F♯⁷**

What a nice surprise (what a nice surprise), bring your alibis.

Verse 5

| **Bm** | **F♯⁷**

Mirrors on the ceiling,   the pink champagne on ice;

| **A**

And she said,   'We are all just prisoners here

| **E⁹**

of our own device.'

| **G** | **D**

And in the master's chambers   they gathered for the feast:

| **Em⁷**

They stab it with their steely knives but they

| **F♯⁷**

just can't kill the beast.

Verse 6

| **Bm** | **F♯⁷**

Last thing I remember I was   running for the door,

| **A** | **E⁹**

I had to find the passage back to the place I was before.

| G

'Relax', said the nightman, 'We are

| D

programmed to receive.

| Em⁷

You can check out anytime you like

| F♯⁷

but you can never leave.'

Coda
Guitar solo

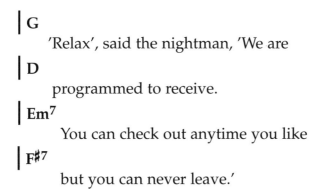

Bm   F♯⁷   A   E⁹
‖: / / / / | / / / / | / / / / | / / / /

G   D   Em⁷   F♯⁷
| / / / / | / / / / | / / / / | / / / / :‖

Repeat to fade

Hunter

Words and Music by
DIDO ARMSTRONG AND ROLLO ARMSTRONG

Am⁷   D⁷   Am   F   Em

Fmaj⁷   Dm   C   G   F⁹

♩ = 90   Capo 3rd fret

Verse 1 $\frac{4}{4}$ | Am⁷ |
With one light on in one room,
| | D⁷
I know you're   up when I get home.
| Am⁷ |
With one small step upon the stair,
| | D⁷
I know your   look when I get there.

Prechorus 1 | Am   F | Em
If you were a king up there on your throne
| Am   F | Em
Would you be wise enough to let me go?
| Am   F | Em | Fmaj⁷
For this queen you think you own. _____

Chorus 1

       | Am F | Dm
Wants to be a hunter again,

  F | Am F | Dm
I want to see the world alone again,

   F | Am   F | Dm
To take a chance on life again

   F | Am |
So let me go. ⸺

Verse 2

       | Am^7 | D^7
The unread book, the painful look,

       | Am^7 | D^7
The TV's   on, the sound is down.

       | Am^7 | D^7
One long   pause, then you begin:

       | Am^7 | D^7
Oh, look   what the cat's brought in.

Prechorus 2

       | Am   F | Em
If you were a king up there on your throne

       | Am   F | Em
Would you be wise enough to let me go?

     | Am   F | Em | Fmaj^7
For this queen you think you own. ⸺⸺⸺

Chorus 2

       | Am F | Dm
Wants to be a hunter again,

  F | Am F | Dm
I want to see the world alone again,

   F | Am   F | Dm
To take a chance on life again

   F | Am | C
So let me go. ⸺⸺

Bridge

| Em | Fmaj7

Let me leave, _____

| Am   G | Dm

For the crown you've placed upon my head feels too heavy now

| Am   G | Dm

And I don't know what to say to you but I'll smile anyhow.

| Am   G | Dm | F |

And all the time I'm thinking, thinking.

Chorus 3

| Am   F | Dm

I want to be   a   hunter again,

F | Am   F | Dm

I want to see the world alone again;

F | Am   F | Dm

To take a chance on life again,

F | Am   F | Dm

So let me go. _____

Chorus 4

F | Am   F | Dm

I want to be   a   hunter again,

F | Am   F | Dm

I want to see the world alone again;

F | Am   F | Dm

To take a chance on life again,

F | Am   F | Dm

So let me go. _____

Coda

F | Am   F | Dm

Let me leave. _____

F | Am   F | Dm   F | Am   F | Dm   F |

Let me go. _____

Am7 F9   Dm   F9   (Am) (F9)   (Dm) (F9)   (Am)   (Am)

‖: / / / / | / / / / :‖ / / / / | / / / / | / / / / | / / ‖

Play 4 times

Kiss Me

Words and Music by
MATT SLOCUM

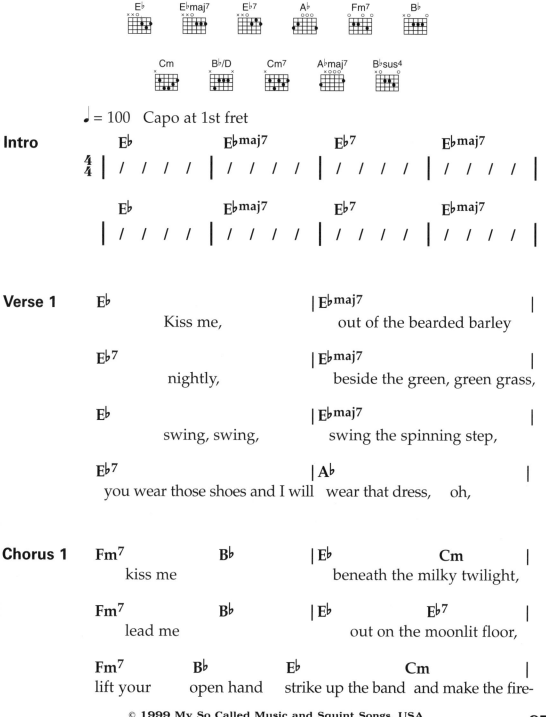

♩ = 100   Capo at 1st fret

Intro

Eb	Ebmaj7	Eb7	Ebmaj7
/ / / /	/ / / /	/ / / /	/ / / /

Eb	Ebmaj7	Eb7	Ebmaj7
/ / / /	/ / / /	/ / / /	/ / / /

Verse 1

Eb
    Kiss me, | Ebmaj7   out of the bearded barley |

Eb7
    nightly, | Ebmaj7   beside the green, green grass, |

Eb
    swing, swing, | Ebmaj7   swing the spinning step, |

Eb7
you wear those shoes and I will | Ab   wear that dress,   oh, |

Chorus 1

Fm7   Bb | Eb   Cm |
    kiss me   beneath the milky twilight,

Fm7   Bb | Eb   Eb7 |
    lead me   out on the moonlit floor,

Fm7   Bb   Eb   Cm |
lift your   open hand   strike up the band and make the fire-

Cm⁷　　　　　Eᵇ　　　　|Aᵇmaj7　　　　　　　　|

flies dance, silver moon's sparkling.

Bᵇsus4　　　　　　Bᵇ　　　　|Eᵇ　　　　　　　　|

So kiss me.

Eᵇmaj7　　　　Eᵇ7　　　　Eᵇmaj7

| / / / / | / / / / | / / / / |

Verse 2　　Eᵇ　　　　　　　　　|Eᵇmaj7　　　　　　　　|

Kiss me,　　　　　　　down by the broken treehouse,

Eᵇ7　　　　　　　　　　|Eᵇmaj7　　　　　　　　|

swing　me,　　　　　　upon its hanging tire,

Eᵇ　　　　　　　　　　|Eᵇmaj7　　　　　　　　|

bring, bring,　　　　　bring your flowered hat,

Eᵇ7　　　　　　　　　　|Aᵇ　　　　　　　　|

we'll take the trail marked on your　father's map,　　　oh

Chorus 2　Fm⁷　　　　　Bᵇ　　　|Eᵇ　　　　Cm　　　|

kiss me　　　　　　　　beneath the milky twilight,

Fm⁷　　　　　Bᵇ　　　|Eᵇ　　　　Eᵇ7　　　|

lead me　　　　　　　　out on the moonlit floor,

Fm⁷　　　Bᵇ　　　|Eᵇ　　　　Cm　　　|

lift your　　open hand　strike up the band　and make the fire-

Cm⁷　　　　　Eᵇ　　　|Aᵇmaj7　　　　　|

flies dance, silver moon's sparkling.

Bᵇsus4　　　　　Bᵇ　　　|Eᵇ　　　　　　|

So kiss me.

Eᵇmaj7　　　　Eᵇ7　　　　Eᵇmaj7

| / / / / | / / / / | / / / / |

Fm⁷　Bᵇ　　Eᵇ　Cm　　Fm⁷　Bᵇ　　Eᵇ　Eᵇ7

| / / / / | / / / / | / / / / | / / / / |

Chorus 3

Fm⁷   B♭ | E♭   Cm |
   kiss me   beneath the milky twilight,

Fm⁷   B♭ | E♭   E♭⁷ |
   lead me   out on the moonlit floor,

Fm⁷   B♭ | E♭   Cm |
lift your   open hand   strike up the band   and make the fire-

Cm⁷   E♭ | A♭maj7 |
flies dance, silver moon's sparkling.

B♭sus4   B♭ | E♭ |
           So kiss me.

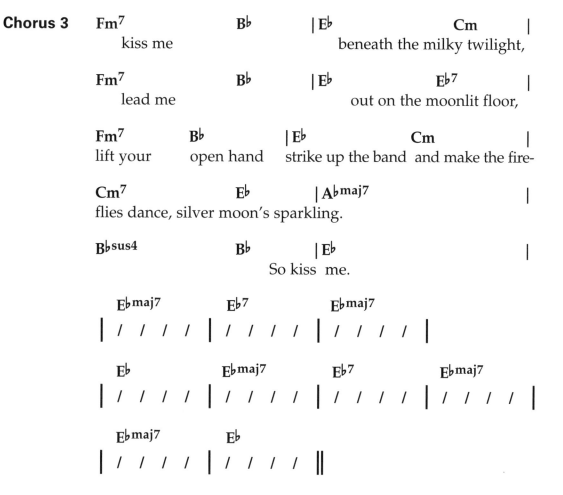

It's A Shame About Ray

Words and Music by
EVAN DANDO AND THOMAS MORGAN

A   E   Dsus2   E/G#   G6   D9/F#

♩ = 84

Intro

$\frac{4}{4}$ ‖: A | E | Dsus^2 | | A |

E/G# | G6 | D9/F# | (F) | | ‖

Verse 1

| A | E | Dsus^2 | |
I've never been too good with names.

| A | E/G# | G6 | D9/F# |
The cellar door was open, I could never stay away

| A | E | Dsus^2 | |
And though it's probably not my place

| A | E/G# | G6 | D9/F# |
it's either or I'm hoping for a simple way to say:

Chorus 1

| A | E | Dsus^2 | |
It's a shame about Ray.

| A | E/G# | G6 | D9/F# |
In the stone under the dust his name is still engraved.

| A | E | Dsus^2 | |
Some things need to go away.

| A | E/G# | G6 | D9/F# |
It's a shame about Ray.

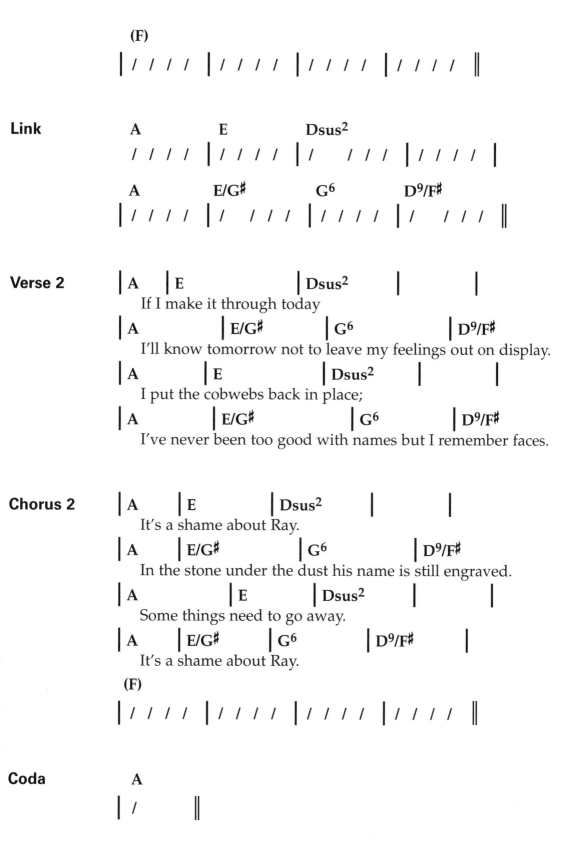

(F)

| / / / / | / / / / | / / / / | / / / / ‖

Link

A   E $Dsus^2$

/ / / / | / / / / | /   / / / | / / / / |

A $E/G\sharp$ G^6 $D^9/F\sharp$

| / / / / | /   / / / | / / / / | /   / / / ‖

Verse 2

| A | E | $Dsus^2$ | |
If I make it through today
| A | $E/G\sharp$ | G^6 | $D^9/F\sharp$
I'll know tomorrow not to leave my feelings out on display.
| A | E | $Dsus^2$ | |
I put the cobwebs back in place;
| A | $E/G\sharp$ | G^6 | $D^9/F\sharp$
I've never been too good with names but I remember faces.

Chorus 2

| A | E | $Dsus^2$ | |
It's a shame about Ray.
| A | $E/G\sharp$ | G^6 | $D^9/F\sharp$
In the stone under the dust his name is still engraved.
| A | E | $Dsus^2$ | |
Some things need to go away.
| A | $E/G\sharp$ | G^6 | $D^9/F\sharp$ |
It's a shame about Ray.

(F)

| / / / / | / / / / | / / / / | / / / / ‖

Coda   A

| /   ‖

Karma Police

Words and Music by
THOMAS YORKE, JONATHAN GREENWOOD,
PHILIP SELWAY, COLIN GREENWOOD
AND EDWARD O'BRIEN

Am   D/F♯   Em   G   F   D

C   G/B   Bm   F♯7   E

♩ = 76

Intro

| Am | D/F♯ | Em | G | Am | F | Em | G |
4/4
| / / / / | / / / / | / / / / | / / / / |

| Am | D | | G D C G/B Am | | Bm | D |
| / / / / | / / / / | / / / / | / / / / |

Verse 1

| Am   D/F♯ | Em   G | Am   F | Em |
  Karma   police, arrest this man he talks in maths

| G | Am |
He buzzes like a fridge

| D | G   D C G/B | Am | Bm D |
He's like a detuned   radi -   o.

Verse 2

| Am   D/F♯ | Em   G | Am |
  Karma   police, arrest this girl

| F | Em   G | Am |
Her Hitler hairdo is   Making me feel ill

| D | G   D C G/B | Am | Bm D |
And we have crashed   her party.

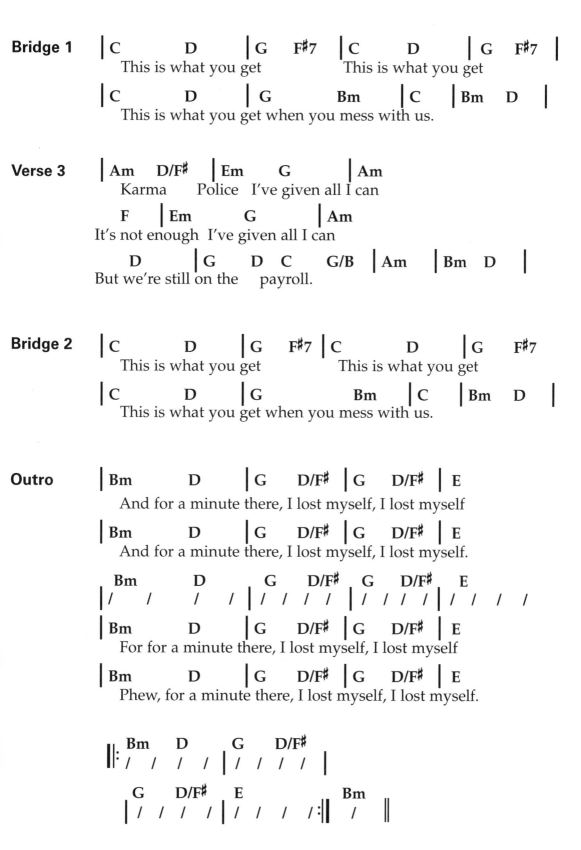

Bridge 1

```
|C          D      |G   F#7 |C        D       |G   F#7  |
 This is what you get          This is what you get
|C          D      |G        Bm    |C   |Bm   D   |
 This is what you get when you mess with us.
```

Verse 3

```
|Am   D/F#   |Em      G       |Am
 Karma   Police  I've given all I can
      F   |Em      G        |Am
 It's not enough  I've given all I can
      D        |G    D   C   G/B |Am   |Bm   D   |
 But we're still on the   payroll.
```

Bridge 2

```
|C          D      |G   F#7 |C          D       |G      F#7
 This is what you get          This is what you get
|C          D      |G        Bm    |C   |Bm   D   |
 This is what you get when you mess with us.
```

Outro

```
|Bm          D      |G   D/F# |G   D/F# | E
 And for a minute there, I lost myself, I lost myself
|Bm          D      |G   D/F# |G   D/F# | E
 And for a minute there, I lost myself, I lost myself.
   Bm        D       G   D/F#   G   D/F#   E
|/    /     /    / |/  /  /  / |/  /  /  / |/  /  /  /
|Bm          D      |G   D/F# |G   D/F# | E
 For for a minute there, I lost myself, I lost myself
|Bm          D      |G   D/F# |G   D/F# | E
 Phew, for a minute there, I lost myself, I lost myself.

   Bm   D      G   D/F#
||:/  /  /  / |/  /  /  / |
   G    D/F#   E              Bm
| /  /  /  / |/  /  /  / /:||  /     ||
```

Losing My Religion

**Words and Music by
MICHAEL MILLS, WILLIAM BERRY,
PETER BUCK AND MICHAEL STIPE**

F   Dm   G   Am   Am/B

Am/C   Am/D   Em   C   D

♩ = 124

Intro

F | | | | | Dm G | | | | Am Am/B Am/C Am/D Am | | | |

F | | | | | Dm G | | | | Am | | | |

Verse 1

|G |Am | |Em |
Oh, life is bigger – it's bigger than you

|Am
And you are not me.

| | |Em |
The lengths that I will go to,

| |Am | |
The distance in your eyes,

|Em | |Dm |
Oh no, I've said too much,

|G |
I set it up.

Chorus 1

| Am
That's me in the corner,

| | Em
  That's me in the spotlight

| | Am
  Losing my religion.

| | Em |
  Trying to keep up with you.

| Am |
And I don't know if I can do it.

| Em | | Dm
  Oh no, I've said too much,

| | G
I haven't said enough.

Bridge 1

| G | F
I thought that I heard you laughing,

| Dm   G | Am   Am/B | Am/C   Am/D
I thought that I heard you sing.

Am | F | F   Dm   G | Am |
I   think I thought I saw   you   try.

Verse 2

| G | Am | | Em
  Every whisper of every waking hour

| | Am
I'm choosing my confessions,

| | Em |
  Trying to keep an eye on you

| Am |
Like a hurt lost and blinded fool, fool.

| Em | | Dm |
  Oh no, I've said too much,

| G |
I set it up.

Verse 3

| Am |
Consider this, consider this,

| Em |
The hint of the century,

| Am |
Consider this: the slip

| Em |
That brought me to my knees failed.

| Am |
What if all these fantasies

| Em |
Come   flailing around?

| Dm | | G |
Now I've said   too much.

Bridge 2

| G | F
I thought that I heard you laughing,

| Dm   G | Am   Am/B | Am/C   Am/D
I thought that I heard you sing.

Am | F | F Dm G | Am | G   ‖
I   think I thought I saw   you try.

Link

    Am   G   F   G
| / / / / | / / / / | / / / / | / / / / |

| C | D
  But that was just a dream,

| C | D
  That was just a dream.

Chorus 2

                  | Am
That's me in the corner,

| | Em
    That's me in the spotlight

| | |Am
Losing my religion.

| | |Em |
Trying to keep up with you.

|Am |
And I don't know if I can do it.

|Em | |Dm
Oh no, I've said too much,

| |G
I haven't said enough.

Bridge 3

|G |F
I thought that I heard you laughing,

| Dm G |Am Am/B |Am/C Am/D
I thought that I heard you sing.

Am |F |F Dm G |Am Am/B |Am/C Am/D Am
I think I thought I saw you try.

|F Dm
But that was just a dream,

G |Am Am/B Am/C Am/D Am
Try, cry, why, try.

|F | Dm G |Am |G |
That was just a dream, just a dream, just a dream, dream.

Coda

Am

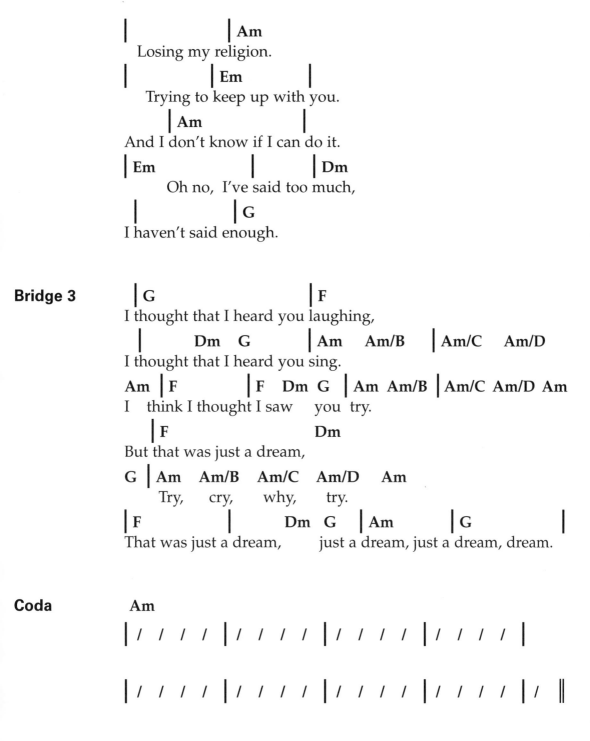

107

Love Burns

Words and Music by
PETER HAYES, ROBERT BEEN
AND NICHOLAS JAGO

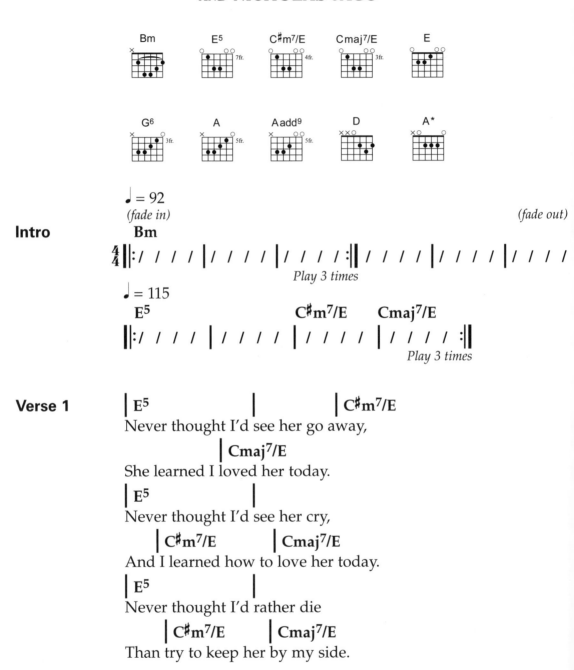

Verse 1

|E⁵ | |C♯m⁷/E
Never thought I'd see her go away,

|Cmaj⁷/E
She learned I loved her today.

|E⁵ |
Never thought I'd see her cry,

|C♯m⁷/E |Cmaj⁷/E
And I learned how to love her today.

|E⁵ |
Never thought I'd rather die

|C♯m⁷/E |Cmaj⁷/E
Than try to keep her by my side.

Chorus 1 ‖: E   G⁶ | A   G⁶   :‖ *Play 3 times*
            Now she's gone love burns inside me.

Link   E⁵   E⁵   C♯m⁷/E   Cmaj⁷/E
            | / / / / | / / / / | /   / / / | /   / / / |

Verse 2 | E⁵ |
            Nothing else can hurt us now,
                | C♯m⁷/E | Cmaj⁷/E
            No loss, our love's been hung on a cross.
            | E⁵ |
            Nothing seems to make a sound,
            | C♯m⁷/E | Cmaj⁷/E
            And now it's all so clear somehow.
            | E⁵ |
            Nothing really matters now,
            | C♯m⁷/E | Cmaj⁷/E
            We're gone and on our way.

Chorus 2 ‖: E   G⁶ | A   G⁶   :‖ *Play 3 times*
            Now she's gone love burns inside me.

Bridge | E | G⁶
                She cuts my skin and bruise my lips,
                | Aadd⁹ |
            She's   everything to me. ——
                | E | G⁶
            She tears my clothes and burns my eyes,
                | Aadd⁹ |
            She's   all I want to see.
                | E | G⁶
            She brings the cold and scars my soul,

109

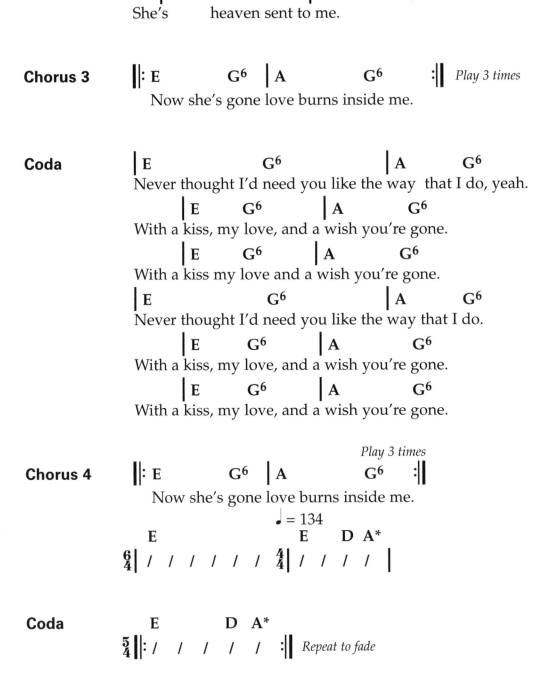

| Aadd⁹ |
She's   heaven sent to me.

Chorus 3   ‖: E   G⁶ |A   G⁶   :‖ *Play 3 times*
Now she's gone love burns inside me.

Coda | E   G⁶ |A   G⁶
Never thought I'd need you like the way that I do, yeah.
          | E   G⁶ |A   G⁶
With a kiss, my love, and a wish you're gone.
          | E   G⁶ |A   G⁶
With a kiss my love and a wish you're gone.
          | E   G⁶ |A   G⁶
Never thought I'd need you like the way that I do.
          | E   G⁶ |A   G⁶
With a kiss, my love, and a wish you're gone.
          | E   G⁶ |A   G⁶
With a kiss, my love, and a wish you're gone.

Play 3 times

Chorus 4   ‖: E   G⁶ |A   G⁶   :‖
Now she's gone love burns inside me.

♩ = 134

          E   E   D A*
⁶₄| / / / / / / ⁴₄| / / / / |

Coda   E   D A*
⁵₄‖: / / / / /   :‖ *Repeat to fade*

110

The Man Who Told Everything

Words and Music by
WILLIAMS/GOODWIN/WILLIAMS

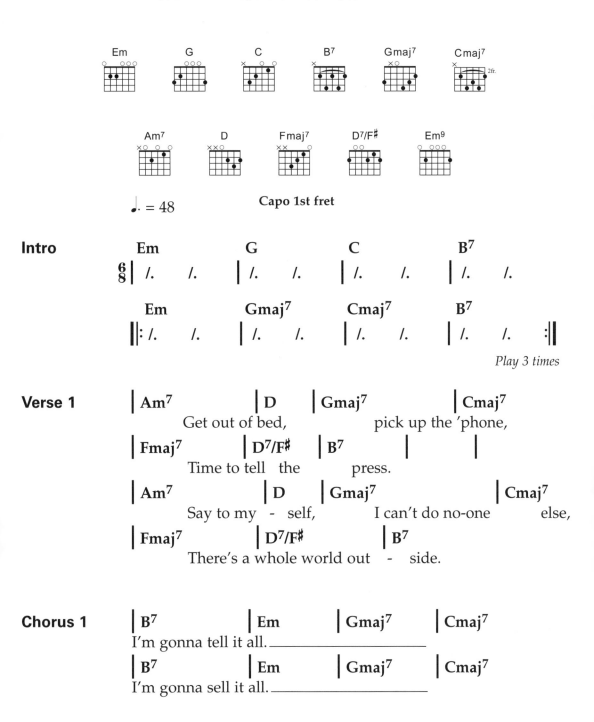

$\bullet. = 48$ Capo 1st fret

Intro

Em		G		C		B7	
$\frac{6}{8}$ /.	/.	/.	/.	/.	/.	/.	/.

Em		Gmaj7		Cmaj7		B7	
‖: /.	/.	/.	/.	/.	/.	/.	/. :‖

Play 3 times

Verse 1

Am7		D	Gmaj7		Cmaj7

Get out of bed,   pick up the 'phone,

Fmaj7		D7/F♯	B7		

Time to tell   the   press.

Am7		D	Gmaj7		Cmaj7

Say to my - self,   I can't do no-one   else,

Fmaj7		D7/F♯		B7

There's a whole world out   -   side.

Chorus 1

B7		Em		Gmaj7		Cmaj7

I'm gonna tell it all.————————

B7		Em		Gmaj7		Cmaj7

I'm gonna sell it all.————————

| B⁷ | Em
I'm gonna sell. ———

| Gmaj⁷ | Cmaj⁷
Get out of bed, ————————

| B⁷ | Em
Come out and sing; ————

| Gmaj⁷ | Cmaj⁷
Blue skies ahead,

| B⁷ | Am⁷
The man who told   everything.

Verse 2

| D | Gmaj⁷ | Cmaj⁷
And I   feel   like I'm losing my   head;

| Fmaj⁷ | D⁷/F♯ | B⁷ | |
       I didn't mean to   stay.

| Am⁷ | D⁷/F♯
       Lives have been   wrecked,

| Gmaj⁷ | Cmaj⁷
       And I've picked up my   cheque,

| Fmaj⁷   D⁷/F♯ | B⁷
       Catch a plane out   of here.

Chorus 2

| B⁷ | Em | Gmaj⁷ | Cmaj⁷
I'm gonna get out of here. ———————————

| B⁷ | Em | Gmaj⁷ | Cmaj⁷
I'm gonna get out of here. ———————————

| B⁷ | Em
I'm gonna sell. ———

| Gmaj⁷
Get out of bed,

| Cmaj⁷ | B⁷
       Come out and sing;

| Em | Gmaj⁷
       Blue skies ahead,

112

| Cmaj7 | B7 | Em |

The man who told everything.

Instrumental   Em   Em9   Em

| /.   /. | /.   /. | /.   /. | /.   /. | /.   /. | /.   /. | /.   /. |

Guitar solo   Am7   D7   Gmaj7   Cmaj7   Fmaj7   D7/F#

| /.   /. | /.   /. | /.   /. | /.   /. | /.   /. | /.   /. |

    B7   B7   Em   Gmaj7   Cmaj7   B7

| /.   /. | /.   /. ‖: /.   /. | /.   /. | /.   /. | /.   /. :‖

Chorus 3 | Em | Gmaj7

    Get out of bed,

| Cmaj7 | B7

    Come out and sing;

| Em | Gmaj7

    Blue skies ahead,

| Cmaj7 | B7 | Em | Gmaj7 | Cmaj7 |

    The man who told everything, _____

| B7 | Em | Gmaj7 | Cmaj7 | B7 |

Eve - ry - thing. _____

Coda   Em   Gmaj7   Cmaj7   B7   Em

‖: /.   /. | /.   /. | /.   /. | /.   /. :‖ /.   /. | /.   /. | /.   /. ‖

Play 4 times

Mansize Rooster

Words and Music by
GARETH COOMBS, DANIEL GOFFEY
AND MICHAEL QUINN

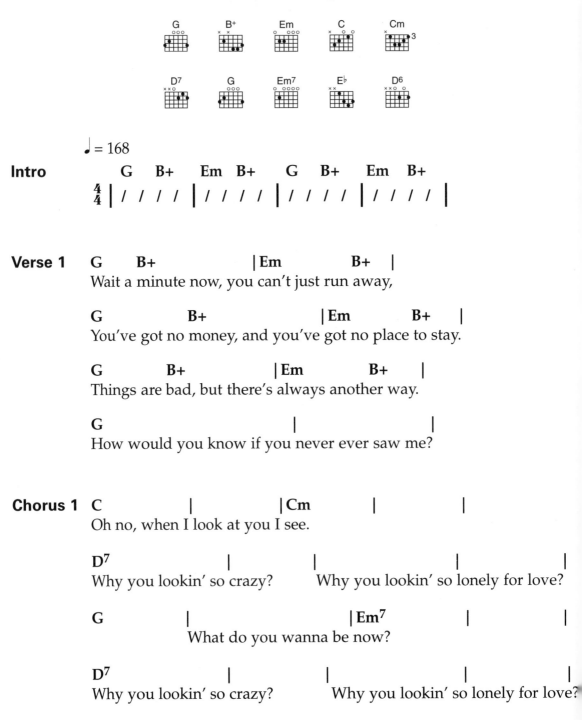

♩ = 168

Intro

    G B+ Em B+   G B+ Em B+

4/4 | / / / / | / / / / | / / / / | / / / / |

Verse 1

G   B+ | Em   B+ |
Wait a minute now, you can't just run away,

G   B+ | Em   B+ |
You've got no money, and you've got no place to stay.

G   B+ | Em   B+ |
Things are bad, but there's always another way.

G | |
How would you know if you never ever saw me?

Chorus 1

C | | Cm | |
Oh no, when I look at you I see.

D⁷ | | | |
Why you lookin' so crazy?   Why you lookin' so lonely for love?

G | | Em⁷ | |
What do you wanna be now?

D⁷ | | | |
Why you lookin' so crazy?   Why you lookin' so lonely for love?

G | |Em⁷ | |

What do you wanna see now?

D⁷ | | | |

Wait a minute, it's all wrong. Wait a minute, it's all gone

G   B+ |Em   B+ |G   B+ |Em   B+ |

wrong.   *A rooster.*

Verse 2

G   B+ |Em   B+ |

Wait a minute now, you can't just hide away,

G   B+ |Em   B+ |

you've got no money, and you've got no face to save.

G   B+ |Em   B+ |

You think it's bad, but there's always another way.

G | |

How would you know if you never ever saw me?

Chorus 2

C | |Cm | |

Oh no, when I look at you I see.

D⁷ | | | |

Why you lookin' so crazy?   Why you lookin' so lonely for love?

G | |Em⁷ | |

What do you wanna be now?

D⁷ | | | |

Why you lookin' so crazy?   Why you lookin' so lonely for love?

G | |Em⁷ |E♭ |

What do you wanna be now?   *Oh*

G | |Em⁷ |E♭ |

yeah.   What do you wanna see?   *Oh*

G | | Em^7 | E$\flat$ |
yeah.   What do you wanna be?   *Oh*

G | | Em^7 |
yeah.   What do you wanna feel?

Coda $\frac{9}{8}$ D^6 G   D^6 G   D^6 G |
           Oh

$\frac{4}{4}$ G | | Em^7 | $\frac{9}{8}$ D^6 G   D^6 G   D^6 G |
yeah.

(Repeat last 4 bars ad lib to fade)

Movin' On Up

Words and Music by
ROBERT YOUNG, BOBBY GILLESPIE
AND ANDREW INNES

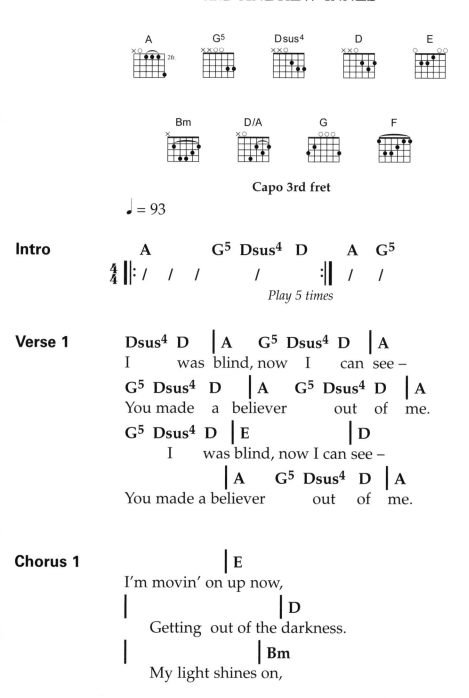

Capo 3rd fret

$\downarrow$ = 93

Intro

A G^5 $Dsus^4$ D A G^5

$\frac{4}{4}$ ‖: / / /   /   :‖ / /

Play 5 times

Verse 1

$Dsus^4$ D | A G^5 $Dsus^4$ D | A
I   was blind, now I   can see –

G^5 $Dsus^4$ D | A G^5 $Dsus^4$ D | A
You made   a   believer   out   of   me.

G^5 $Dsus^4$ D | E | D
    I   was blind, now I can see –

      | A G^5 $Dsus^4$ D | A
You made a believer   out   of   me.

Chorus 1

         | E
I'm movin' on up now,

| | D
   Getting out of the darkness.

| | Bm
   My light shines on,

| D

My light shines on,

My light shines on.

Link 1

| A   G⁵ Dsus⁴ D | A   G⁵

/ / /   /   / / /

on.

Verse 2

Dsus⁴ D | A   G⁵ Dsus⁴ D | A

I   was lost,   now   I'm   found –

G⁵   Dsus⁴ D | A   G⁵ Dsus⁴ D | A   G⁵

   I believe   in   you, I've   got   no   bounds.

Dsus⁴ D | E | D

I   was lost, now I'm found –

         | A   G⁵ Dsus⁴ D | A

I believe in you, I   got   no   bounds.

Chorus 2

                | E

I'm movin' on up now,

| | D

Getting   out of the darkness.

| **Bm**

My light shines on,

        | D

My light shines on,

||: | A

My light shines on.

         | D/A   :||

(My light shines on.)

        | A

My light shines on.

Guitar solo

A   G   F   D

| / / / / | / / / / | / / / / | / / / / |

(on.)

A   G   F   D

| / . / / / | / / / / | / / / / | / / / / ‖

Link 2

A G^5 $Dsus^4$ D

‖: / / /   /   :‖ *Play 4 times*

Coda

‖: A | G | F | D   :‖

(My light shines on,   my light shines on)

‖: A

I'm   getting outta darkness,

| G

My light shines on.

| F

I'm getting outta darkness,

| D   :‖ *(Repeat with vocal*

My light shines on. I'm   *ad lib. to fade)*

Mellow Doubt

**Words and Music by
NORMAN BLAKE**

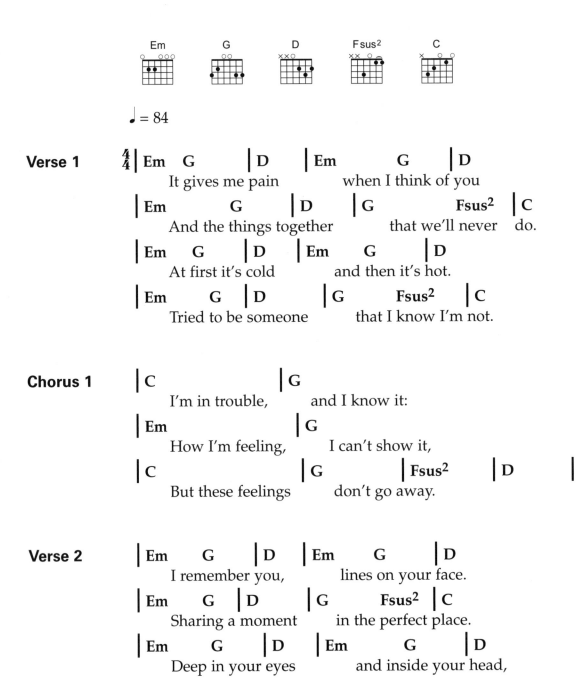

♩ = 84

Verse 1

$\frac{4}{4}$ | Em   G | D | Em   G | D
   It gives me pain   when I think of you

| Em   G | D | G   Fsus² | C
  And the things together that we'll never do.

| Em   G | D | Em   G | D
  At first it's cold and then it's hot.

| Em   G | D | G   Fsus² | C
  Tried to be someone that I know I'm not.

Chorus 1

| C | G
  I'm in trouble, and I know it:

| Em | G
  How I'm feeling, I can't show it,

| C | G | Fsus² | D |
  But these feelings don't go away.

Verse 2

| Em   G | D | Em   G | D
  I remember you, lines on your face.

| Em   G | D | G   Fsus² | C
  Sharing a moment in the perfect place.

| Em   G | D | Em   G | D
  Deep in your eyes and inside your head,

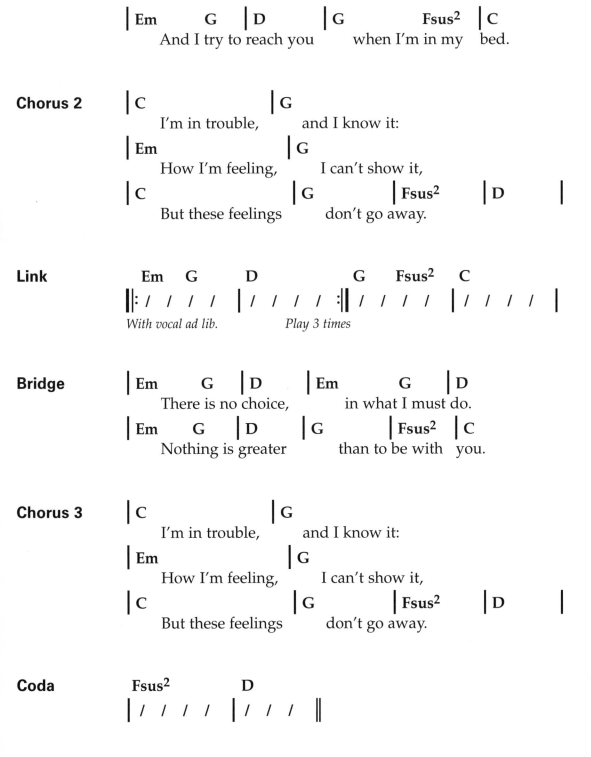

| Em　　 G | D　　 |　 G　　　　 Fsus² | C |

And I try to reach you　　　　 when I'm in my　 bed.

Chorus 2

| C　　　　　　　　　 | G |

I'm in trouble,　　　 and I know it:

| Em　　　　　　 | G |

How I'm feeling,　　 I can't show it,

| C　　　　　 | G　　 | Fsus²　　 | D　　　 |

But these feelings　　 don't go away.

Link

Em　 G　　 D　　　　　　 G　 Fsus²　 C

With vocal ad lib.　　　　 Play 3 times

Bridge

| Em　　 G | D　　 | Em　　 G | D |

There is no choice,　　　 in what I must do.

| Em　　 G | D　 | G　　 | Fsus² | C |

Nothing is greater　　 than to be with　 you.

Chorus 3

| C　　　　　　　　　 | G |

I'm in trouble,　　　 and I know it:

| Em　　　　　　 | G |

How I'm feeling,　　 I can't show it,

| C　　　　　 | G　　 | Fsus²　　 | D　　　 |

But these feelings　　 don't go away.

Coda

Fsus²　　　　 D

My Drug Buddy

Words and Music by
EVAN DANDO

D   Cadd⁹   Bmadd¹¹   G⁶   Bm   Em   G

Capo 3rd fret

♩ = 72

Intro

$\frac{4}{4}$ ‖: / / / / | / / / / :‖
      D   Cadd⁹   Bmadd¹¹ G⁶

Verse 1

| D   Em | Bm   G⁶
She's coming over,   we'll go out walking

| D   Cadd⁹ | Bm   G⁶
Make a call on the way.

| D   Em | Bm   G⁶
She's in the 'phone booth,   I'm looking in.

| D   Cadd⁹ | Bm   G⁶
There comes a smile on her face.

| D   Em | Bm   G |
There's still some of the same stuff we got yesterday.

| D   Em | Bm   G |
There's still some of the same stuff we got yesterday.

Link 1

‖: / / / / | / / / / :‖
  D Em Bm G

Bridge

|D   Em |Bm G^6
I'm too much with myself, I wanna be someone else.
|D   Em |Bm G^6
I'm too much with myself, I wanna be someone else.
|D $Cadd^9$ |Bm G^6
I'm too much with myself,   I wanna be someone else.

Verse 2

|D   Em |Bm G^6
So we take off out Fiona's door, walk until it's light outside
|D $Cadd^9$ |Bm G^6
Like before when you were on the 'phone.
|D   Em |Bm G^6
We have to laugh to look at each o - ther,
|D $Cadd^9$ |Bm G^6
We have to laugh 'cause we're not alone
|D   Em |
As the cars fly up King   Street
Bm   G6 |D $Cadd^9$ |Bm G^6 |
It's enough to startle us,   it's enough to startle us.

Link 2

D   Em   Bm   G
||: /   /   /   / | /   /   /   / :||

Coda

|D $Cadd^9$ |Bm G^6
I lo - ve   my drug buddy,
|D Em |Bm G^6
My drug,   my drug buddy,
|D $Cadd^9$ |Bm G^6
I love   my drug buddy,
|D Em |Bm G^6 |D ||
My drug,   my drug buddy.

Moving

Words and Music by
GARETH COOMBES, MICHAEL QUINN,
DANNY GOFFEY AND ROBERT COOMBES

D13sus4   Em(add9)   Csus2   Cadd9   Am7   B7sus2/F#

B7/F#   Bm   A   Em   B7sus2   B7

♩ = 110

Verse 1 $\frac{4}{4}$ **D13sus4** | | | |
Moving, just keep moving   till I don't know

Emadd9 | | | |
why to stay.

Csus2 | **C**add9 | **Am**7 | |
   I've been moving so long   the   days all feel the

B7sus2/F# | | **B**7/F# | |
same.

Verse 2 **D13sus4** | | | |
Moving, just keep moving,   well I don't know

Emadd9 | | | |
why to stay.

Csus2 | **C**add9 | **Am**7 | |
   And no ties to bind me,   no reasons to re-

B7sus2/F# | | **B**7/F# | N.C. |
main.   I've got a

Chorus 1 **Bm**   **A** | **Em** | |
low, low, feeling around   me   and a

124   © 1999 EMI Music Publishing Ltd, London WC2H 0QY

Bm   **A**   **|Em**   **|**
stone cold feeling inside.   And I just

Bm   **A**   **|Em**   **|**
can't stop messing my mind up   and wasting my

Bm   **A**   **|Em**   **|**
time.   Ooh.   There's a

Bm   **A**   **|Em**   **|**
low, low feeling around   me   and a

Bm   **A**   **|Em**   **|**
stone cold feeling inside.   I've got to

Bm   **A**   **|Em**   **|**
find somebody to help me,   I'll keep you in

B⁷ˢᵘˢ²   **|B⁷**   **|**
mind.   So I'll keep

Verse 3 D^{13sus4} **|**   **|**   **|**   **|**
Moving, just keep moving,   well I don't know

Emᵃᵈᵈ⁹   **|**   **|**   **|**   **|**
who I am.

Cˢᵘˢ²   **|C**ᵃᵈᵈ⁹   **|Am⁷**   **|**   **|**
          No lead to follow,   there's no way back a-

B⁷ˢᵘˢ²/F♯   **|**   **|B⁷/F♯**   **|**   **|**
gain.

Verse 4 D^{13sus4} **|**   **|**   **|**   **|**
Moving, keep on moving,   well I feel I'm

Emᵃᵈᵈ⁹   **|**   **|**   **|**   **|**
born again.

Cˢᵘˢ²   **|C**ᵃᵈᵈ⁹   **|Am⁷**   **|**   **|**
        And when it's over,   I'll see you a-

B7sus2/F♯ | | | |
gain.

B7/F♯   **N.C.**

| / / / / | / / / / |

Coda   **D13sus4**

| / / / / | / / / / | / / / / | / / / / |

Em add9

| / / / / | / / / / | / / / / | / / / / |

Csus2   **Cadd9**   **Am7**

| / / / / | / / / / | / / / / | / / / / |

B7sus2/F♯   **B7/F♯**   *(repeat Coda to fade)*

| / / / / | / / / / | / / / / | / / / / |

Novocaine For The Soul

Words and Music by
MARK EVERETT AND MARK GOLDENBERG

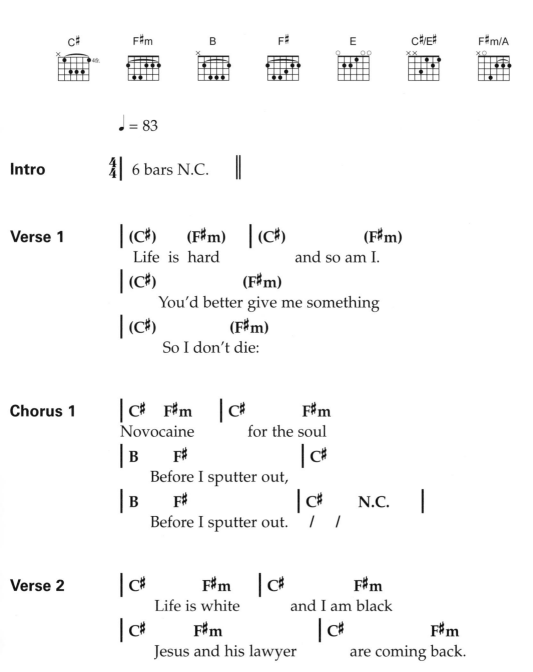

♩ = 83

Intro 4/4 6 bars N.C. ‖

Verse 1
| (C♯)   (F♯m) | (C♯)   (F♯m)
  Life is hard   and so am I.
| (C♯)   (F♯m)
   You'd better give me something
| (C♯)   (F♯m)
  So I don't die:

Chorus 1
| C♯ F♯m | C♯   F♯m
Novocaine for the soul
| B   F♯ | C♯
  Before I sputter out,
| B   F♯ | C♯   N.C. |
  Before I sputter out. / /

Verse 2
| C♯   F♯m | C♯   F♯m
  Life is white and I am black
| C♯   F♯m | C♯   F♯m
  Jesus and his lawyer are coming back.

Chorus 2

|C#   F#m |C#   F#m
    Oh my darling,   will you be here

|B   F# |C#
   Before I sputter out?

|B   F# |C#
   Before I sputter out,

|B   F# |N.C. |
   Before I sputter out.

Link

  E   B   F#   C#/E#
| /   /   /   / | /   /   /   / |

Bridge

|E   B
   Guess who's living here

|F#   C#/E#
With the great undead?

|E   B
   This paint-by-numbers life

  |F#   C#/E# |E | |
Is f***ing with my head once again.

Instrumental

  C#   F#m   C#   F#m
||: /   /   /   / | /   /   /   /   :||

Verse 3

|C#   F#m |C#   F#m
   Life is good   and I feel great

|C#   F#m |C#   F#m
   'Cause mother says I was   a great mistake.

Chorus 3

| C# | F#m/A | C# | F#m |

Novocaine   for the soul:

| C# | F#m/A | | C# | F#m |

You'd better give me something   to fill the hole

| B | F# | | C# |

Before I sputter out,

| B | F# | | C# |

Before I sputter out,

| B | F# | | C# |

Before I sputter out,

| B | F# | | C# |

Before I sputter out.

Coda

B   F#   C#   B   F#   C#

| / / / / | / / / / | / / / / | / / / / |

B   F#   C#   (B)   (F#)   (C#)

| / / / / | / / / / | / / / / | / / / / ‖

Mr. Jones

Words and Music by
ADAM DURITZ, DAVID BRYSON, MATT MALLEY,
STEVE BOWMAN AND CHARLIE GILLINGHAM

Am   F   Dm   G   C/E   C   Fmaj7

♩ = 138

Intro

| Am | F | Dm |
| 4/4 / / / / | / / / / | / / / / |

| G | Am | F | G |

Sha la la la la la la,   uh, huh.

Verse 1

| Am | F
I was down at the New Amsterdam

| Dm | G
staring at this yellow-haired girl,

   | Am | F
Mr. Jones strikes up a conversation with a

| G |
black-haired flamenco dancer.

     | Am | F | Dm
You know she dances while his father plays guitar,

     | G
She's suddenly beautiful.

     | Am | F
And we all want something beautiful.

| G |
Man, I wish I was beautiful

Verse 2

    | **Am**   **G**
So come dance this silence

| **F**   **C/E**
Down through the morning

| **Dm** | **G** | **Am**   **G** | **F** **C/E** | **G** | |
   Sha la la la la la la la, yeah,   uh huh, yeah.

| **Am**   **G** | **F**   **C/E** | **Dm**
   Cut up, Maria!   Show me some of them

| **G**
Spanish dances,

    | **Am**   **G** | **F**   **C/E** | **G** | |
And   pass me a bottle, Mr. Jones.

Verse 3

| **Am**   **G** | **F** **C/E** | **Dm** | **G**
   Believe in me,   help me believe in anything,

    | **Am**   **G** | **F**   **C/E** | **G** | |
'Cause I   want to be someone who be - lieves, yeah. _____

Chorus 1

| **C** | **F** | **G** |
   Mr. Jones and me   tell each other fairy tales

    | **C** | **F**
And we   stare at the beautiful women:

   | **G** | | **C**
She's looking at you. Ah, no, no, she's looking at me.'

      | **F** | **G** |
Smiling in the bright lights,   coming through in stereo,

   | **C** | **F** | **G** |
When everybody loves you,   you can never be lonely.

Verse 4

    | **Am**   **G** | **F**   **C/E**
Well, I   want to paint my picture,

| **Dm** | **G**
   Paint myself in blue and red and black and gray.

| **Am**   **G** | **F**   **C/E** | **G** |
   All of the beautiful   colours are very, very meaningful.

|Am   G |F
Yeah, well you know gray is my favorite colour;
       C/E |Dm |G
I _____ felt so symbolic   yesterday
|Am   G |F   C/E |G
     If I knew Picasso,   I would buy myself a gray guitar
       |C
and play.

Chorus 2 |F |G
Mr. Jones and me   look into the future
              |C |F
Yeah, we stare at the beautiful women
        |G | |C
'She's looking at you. Uh, I don't think so. She's looking at me.'
                     |F |G
Standing in the spotlight,
                     |
I bought myself a gray guitar.
       |C |F |G | |Am
When everybody loves me,   I will never be lonely. _____

Bridge |Fmaj⁷ |
I will never be lonely,
                    |Am |G
Said I'm never gonna be lone - - - - ly
|Am |
       I want to be a lion;
|Fmaj⁷ |
          Everybody wants to pass as cats,
|Am |
       We all want to be big, big stars, yeah,
          |G |
But   we got different reasons for that.
|Am | |Fmaj⁷ |
Believe in me because I don't believe in anything,

|Am | |
And I   want to be someone to believe,
|G |
To believe,   to believe, yeah.

Chorus 3 |C |F |G |
Mr. Jones and me   stumbling through the barrio,
            |C |F
Yeah, we stare at the beautiful women
       |G | |C
'She's perfect for you, man,   there's got to be somebody for me.'
                    |F
I want to be Bob Dylan.
      |G |
Mr. Jones wishes he was someone just a little more funky.
       |C |F |G
When everybody loves you, ah son,
                      |
That's just about as funky as you can be.

Chorus 4 |C |F |G |
Mr. Jones and me   staring at the video.
            |C |F |G
When I look at the television, I want to see me
|
staring right back at me.
      |C |F |G
We all want to be big stars, but we don't know why and
|
we don't know how,
            |C |F
But when everybody loves me,
            |G |
I wanna be   just about as happy as I can be.
      |C |F |G ‖
Mr. Jones and me,   we're gonna be big stars.

Next Year

Words and Music by
DAVID GROHL, TAYLOR HAWKINS AND NATE MENDEL

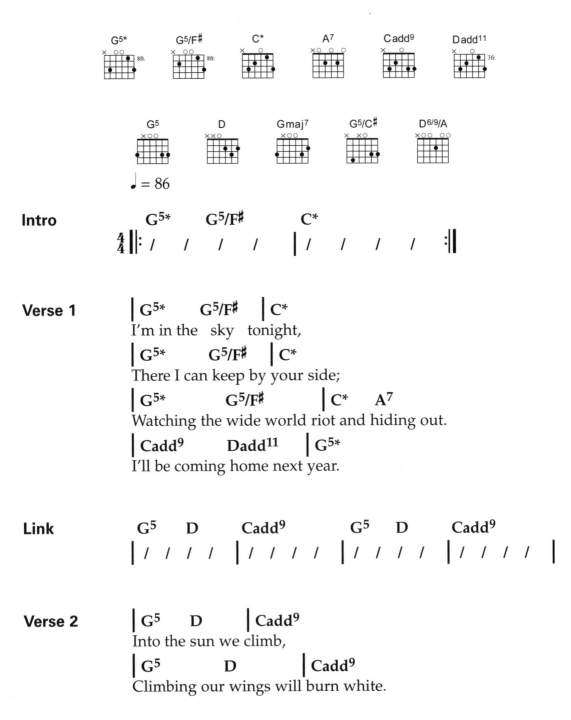

$\downarrow$ = 86

Intro

G5*   G5/F♯   C*

$\frac{4}{4}$ ‖: / / / / | / / / / :‖

Verse 1

| G5*   G5/F♯ | C*

I'm in the sky tonight,

| G5*   G5/F♯ | C*

There I can keep by your side;

| G5*   G5/F♯ | C*   A7

Watching the wide world riot and hiding out.

| Cadd9   Dadd11 | G5*

I'll be coming home next year.

Link

G5   D   Cadd9   G5   D   Cadd9

| / / / / | / / / / | / / / / | / / / / |

Verse 2

| G5   D | Cadd9

Into the sun we climb,

| G5   D | Cadd9

Climbing our wings will burn white.

|G⁵   Gmaj⁷ |Cadd⁹

Everyone strapped in tight,

     A⁷

We'll ride it out.

|Cadd⁹   Dadd¹¹ |G⁵ |

I'll be coming home next year.

Bridge 1 |Cadd⁹ |G⁵

      Come on, get on, get on.

|Cadd⁹ |G⁵

Take it till life runs out.

|Cadd⁹

No-one can find us now

|G⁵/C♯ |D |(drum fill) |

Living with our heads underground.

Verse 3 |G⁵   Gmaj⁷ |Cadd⁹

Into the night we shine

|G⁵   Gmaj⁷ |Cadd⁹

Lighting the way we glide by.

|G⁵   Gmaj⁷ |Cadd⁹

Catch me if I get too high.

      A⁷

When I come down

|Cadd⁹   Dadd¹¹ |G⁵

I'll be coming home next year.

Verse 4 |G⁵   Gmaj⁷ |Cadd⁹

I'm in the sky   tonight,

|G⁵   Gmaj⁷ |Cadd⁹

There I can keep by your side,

|G⁵   Gmaj⁷ |Cadd⁹ A⁷

Watching the whole world wind around and round.

|Cadd⁹   Dadd¹¹ |G⁵

I'll be coming home next year.

135

Bridge 2

|Cadd⁹ → Cadd^9

|Cadd^9 |G^5

Come on, get on, get on.

|Cadd^9 |G^5

Take it till life runs out.

|Cadd^9

No-one can find us now

|$\text{G}^5/\text{C}\sharp$ |D |

Living with our heads underground.

Verse 5

|G^5 Gmaj^7 |Cadd^9

I'll be coming home next year,

|G^5 Gmaj^7 |Cadd^9

I'll be coming home next year.

|G^5 Gmaj^7 |Cadd^9

Everything's alright up here.

  A^7

If I come down

|Cadd^9 Dadd^{11} |G^5

I'll be coming home next year.

Bridge 3

            |$\text{D}^{6/9}/\text{A}$ | |Cadd^9 |

Say good-bye,   say good-bye.

            |$\text{D}^{6/9}/\text{A}$ | |Cadd^9 |D |

Say good-bye,   say good-bye.

Verse 6

|G^5 Gmaj^7 |Cadd^9

I'll be coming home next year,

|G^5 Gmaj^7 |Cadd^9

I'll be coming home next year.

|G^5 Gmaj^7 |Cadd^9

Everything's alright up here.

A^7
If I come down
| $Cadd^9$ $Dadd^{11}$ | G^5 A^7
I'll be coming home next year.

Coda
| $Cadd^9$ $Dadd^{11}$ | G^5 A^7
I'll be coming home next year.
| $Cadd^9$ $Dadd^{11}$ | G^5 | | (drum fill) |
I'll be coming home next year.
||: G^{5*} $G^5/F\sharp$ | G^{5*} :|| *Repeat to fade*
I'll be coming home next year.

Over The Rainbow

Words by E Y HARBURG
Music by HAROLD ARLEN

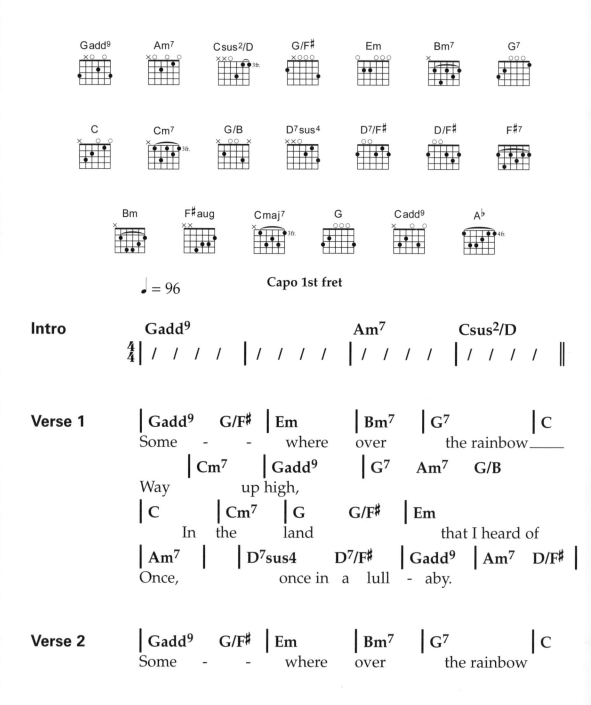

♩ = 96   Capo 1st fret

Intro   Gadd⁹   Am⁷   Csus²/D
$\frac{4}{4}$| / / / / | / / / / | / / / / | / / / / ‖

Verse 1 | Gadd⁹   G/F♯ | Em | Bm⁷ | G⁷ | C
                Some -   -   where   over   the rainbow____
                        | Cm⁷ | Gadd⁹ | G⁷   Am⁷   G/B
                Way   up high,
                | C | Cm⁷ | G   G/F♯ | Em
                    In   the   land   that I heard of
                | Am⁷ | | D⁷sus4   D⁷/F♯ | Gadd⁹ | Am⁷   D/F♯ |
                Once,   once in a   lull - aby.

Verse 2 | Gadd⁹   G/F♯ | Em | Bm⁷ | G⁷ | C
                Some -   -   where   over   the rainbow

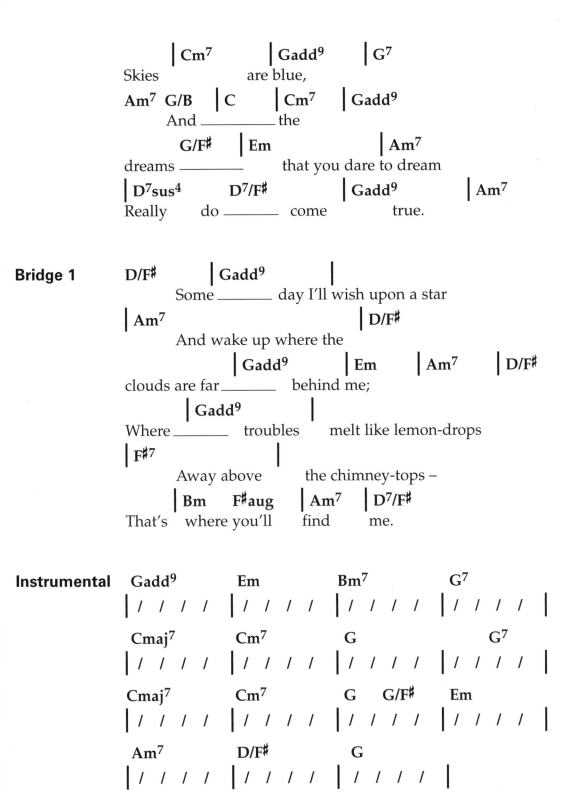

Bridge 2

| Am⁷ D/F♯ | Gadd⁹ | |

Some ____ day I'll   wish upon a star

| Am⁷

And wake up where the

| D/F♯ | Gadd⁹   G/F♯ | Em | Am⁷ | D/F♯

clouds are far   behind ____ me;

| Gadd⁹ |

Where ____   troubles   melt like lemon-drops

| F♯⁷ |

Away above   the chimney-tops –

| Bm   F♯aug | Am⁷ | D⁷/F♯

That's   where   you'll   find   me.

Verse 3

| Gadd⁹   G/F♯ | Em | Bm⁷ | G⁷ | C

Some -   -   where   o - ver   the rainbow ____

| Cm⁷ | Gadd⁹ | G⁷

Skies ____   are blue,

Am⁷   G/B | C | Cm⁷ | Gadd⁹

And ____   the

G/F♯ | Em | Am⁷

dreams ____   that you dare to dream

D⁷/F♯ | Gadd⁹ |

Really   do   come ____ true.

| |

If happy little bluebirds fly

| Am⁷ | *(freely)* | D⁷/F♯ | Cadd⁹

Above the rainbow, why,   oh why   can't I? ____

| Cadd9 | A♭ | | G ‖

/ / / /   / / / /   / / / /   / / / /

Panic

Words and Music by
STEPHEN MORRISSEY AND JOHNNY MARR

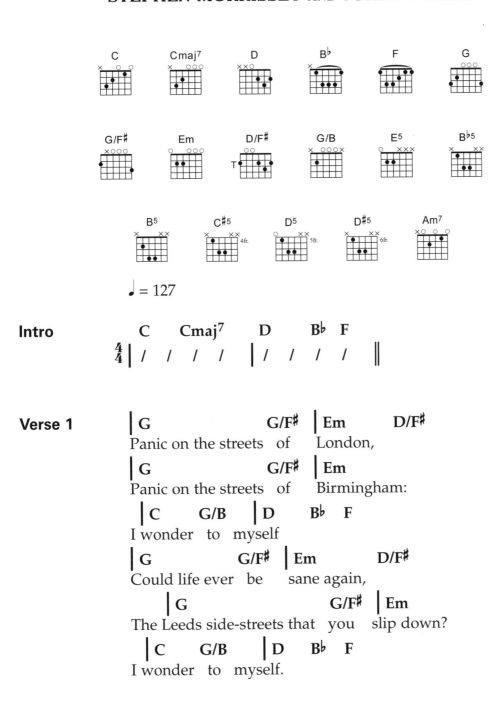

♩ = 127

Intro

C Cmaj⁷ D Bb F

4/4 | / / / / | / / / / ||

Verse 1

| G   G/F# | Em   D/F#
Panic on the streets of   London,
| G   G/F# | Em
Panic on the streets of   Birmingham:
| C   G/B | D   Bb   F
I wonder to myself
| G   G/F# | Em   D/F#
Could life ever be   sane again,
| G   G/F# | Em
The Leeds side-streets that   you   slip down?
| C   G/B | D   Bb   F
I wonder   to myself.

Verse 2

```
|G                    G/F# |Em          D/F#
Hopes may rise on   the    Grasmere,
|G                           G/F# |Em
   But Honey Pie, you're   not   safe here
                       |C
So you run down_____
      G/B            |D     Bb
To the safety of the town.
F          |G                  G/F# |Em         D/F#
But there's panic on the streets   of    Carlisle,
|G            G/F# |Em
Dublin, Dun - dee,   Humberside.
  |C     G/B     |D     Bb    F
I wonder  to  myself ...
```

Instrumental

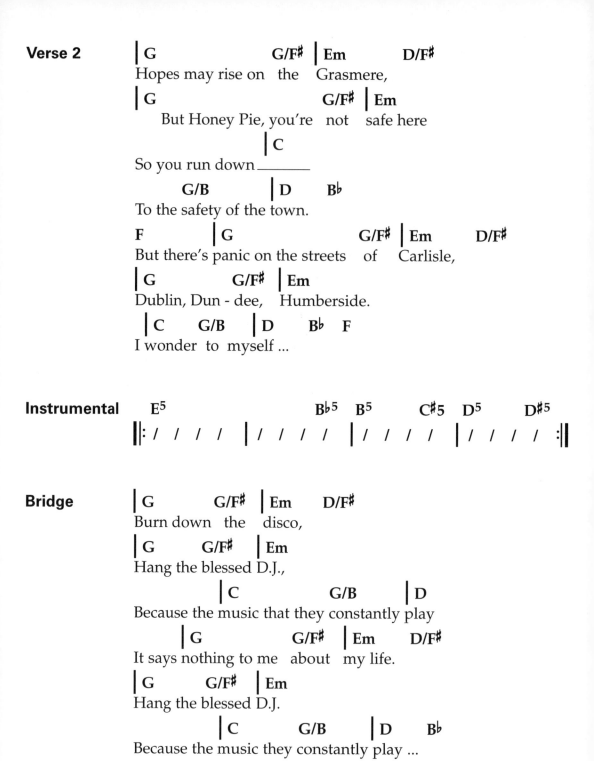

```
E5                        Bb5   B5       C#5   D5       D#5
||: / / / / / | / / / / | / / / / | / / / / :||
```

Bridge

```
|G         G/F# |Em     D/F#
Burn down  the    disco,
|G       G/F#  |Em
Hang the blessed D.J.,
          |C                G/B          |D
Because the music that they constantly play
     |G                G/F# |Em      D/F#
It says nothing to me   about   my life.
|G        G/F#  |Em
Hang the blessed D.J.
        |C          G/B       |D     Bb
Because the music they constantly play ...
```

Verse 4

F | G   G/F♯ | Em   D/F♯
On the Leeds side-streets that   you   slip down,

       | G   G/F♯ | Em
Provincial towns you   jog 'round,

G/B | C   Am⁷ | D
Hang the D.J, hang the D.J, hang the D.J.

G/B | C   Am⁷ | D
Hang the D.J, hang the D.J, hang the D.J.

G/B | C   Am⁷ | D
Hang the D.J, hang the D.J, hang the D.J.

Chorus

‖: B♭ F | G   G/F♯ | Em   D/F♯ | G   G/F♯ | Em
Hang the D.J., hang the D.J., hang the D.J., hang the D.J.,

         G/B | C   Am⁷ | D   :‖
Hang the   D.J, hang the D.J, hang the D.J.

Repeat chorus to fade

Porcelain

Words and Music by
RICHARD HALL

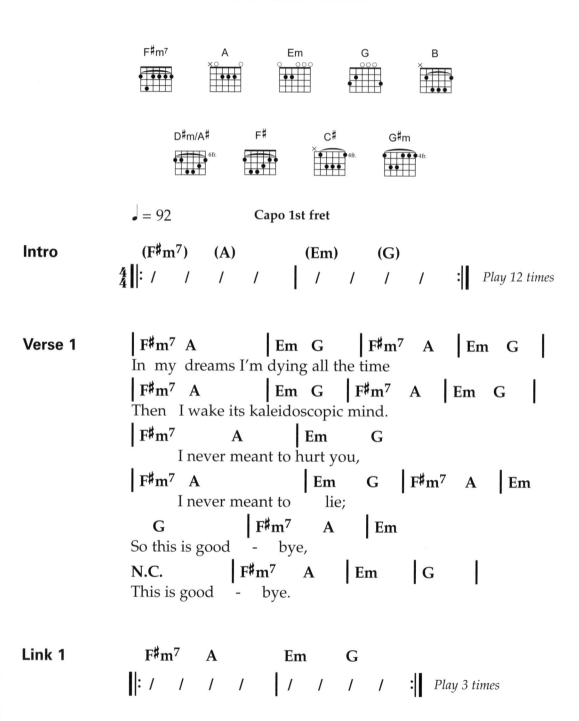

$\downarrow$ = 92   Capo 1st fret

Intro   (F#m⁷)   (A)   (Em)   (G)

$\frac{4}{4}$ ‖: / / / / | / / / / :‖ *Play 12 times*

Verse 1 | F#m⁷ A | Em G | F#m⁷ A | Em G |
In my dreams I'm dying all the time
| F#m⁷ A | Em G | F#m⁷ A | Em G |
Then I wake its kaleidoscopic mind.
| F#m⁷   A | Em   G |
I never meant to hurt you,
| F#m⁷ A | Em   G | F#m⁷ A | Em |
I never meant to   lie;
     G | F#m⁷   A | Em |
So this is good   -   bye,
N.C. | F#m⁷   A | Em | G |
This is good   -   bye.

Link 1   F#m⁷   A   Em   G

‖: / / / / | / / / / :‖ *Play 3 times*

Bridge   N.C.
Tell the truth you never wanted me,

Tell me.

Link 2

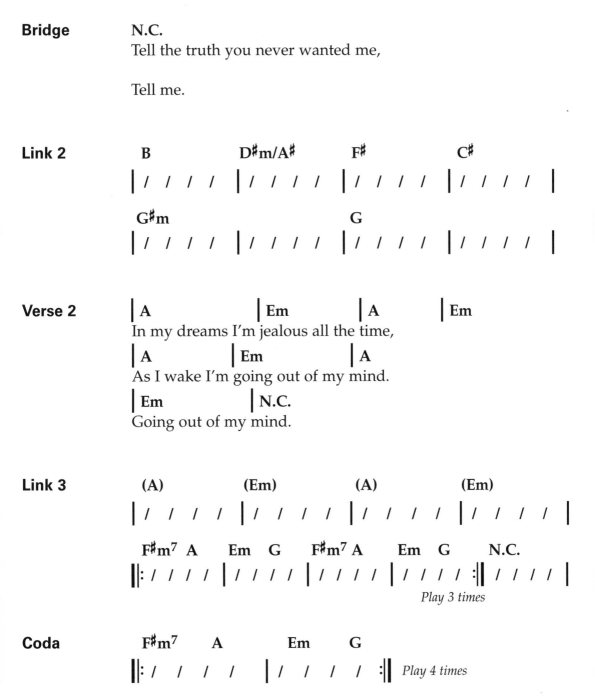

B	D♯m/A♯	F♯	C♯
/ / / /	/ / / /	/ / / /	/ / / /

G♯m		G	
/ / / /	/ / / /	/ / / /	/ / / /

Verse 2

A	Em	A	Em

In my dreams I'm jealous all the time,

A	Em	A

As I wake I'm going out of my mind.

Em	N.C.

Going out of my mind.

Link 3

(A)   (Em)   (A)   (Em)

/ / / /	/ / / /	/ / / /	/ / / /

F♯m⁷ A   Em G   F♯m⁷ A   Em G   N.C.

‖: / / / / | / / / / | / / / / | / / / / :‖ / / / / |

Play 3 times

Coda   F♯m⁷   A   Em   G

‖: / / / / | / / / / :‖ *Play 4 times*

Pounding

Words and Music by
WILLIAMS/GOODWIN/WILLIAMS

C   C/E   Fmaj⁷   Dm⁷   G

Fadd⁹   Em   C*   F

Capo 1st fret

♩ = 129

Intro

C

4/4 | (drums 2 bars) | / / / / | / / / / | / / / / | / / / / |

C   C/E   Fmaj⁷   C

‖: / / / / | / / / / | / / / / | / / / / :‖

Verse 1

| C | C/E | Fmaj⁷ | C
Well I can't stand by   and see you destroyed,

| | C/E | Fmaj⁷ | C
I can't be here   and   watch you burn up.

| | C/E | Fmaj⁷ | C
Lie for the moment,   lie as a   decoy.

| | C/E | Fmaj⁷ | C
Does it matter if   I give in   easy?

| Dm⁷ | | G
So why is   it so hard to get by?

|

And I said,

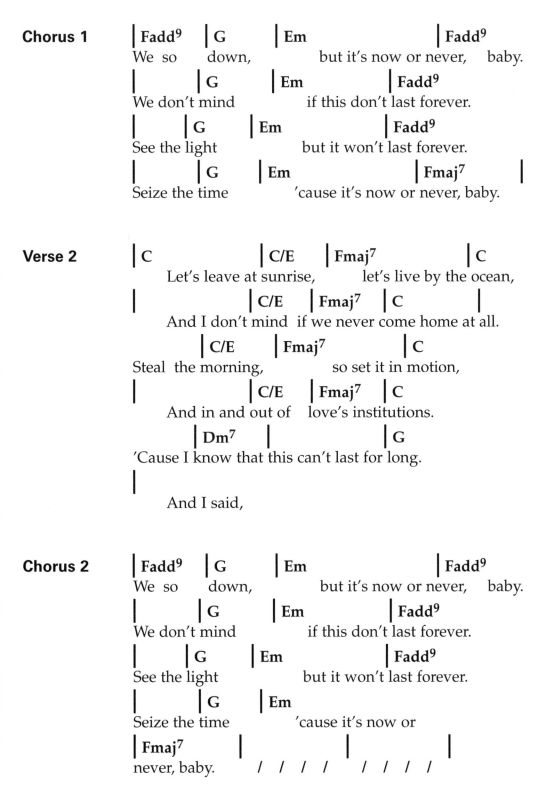

Instrumental

```
        C                C/E           Fmaj7              C
‖: / / / / | / / / / | / / / / | / / / / :‖
```

Bridge

```
| C              | C/E            | Fmaj7          | C          |
  I'm feeling      somehow           we shall ___ carry on,
                 | C/E            | Fmaj7          | C          |
  I'm feeling      sometime          we shall ___ carry on.
```

Link

```
        C*                    F        C*                    F
‖: / / / / | / / / / :‖ / / / / | / /
  (on.)              Play 7 times                    And so
| Dm7      |            | G
  Why is    it so hard to get by?
|
     And I said,

        Fadd9          G            Em             Fadd9
‖: / / / / | / / / / | / / / / | / / / / :‖
```

Chorus 3

```
| Fadd9 | G  | Em             | Fadd9      |
  We so   down      but this can't last forever.
|        | G  | Em
  We don't mind       'cause it's now or
| Fmaj7      |         |        |        |        ‖
  never, baby. _____
```

Powder Blue

Words and Music by
GUY GARVEY, MARK POTTER, CRAIG POTTER, RICHARD JUPP AND PETE TURNER

C   Cmaj⁷   Em   G   G/F♯   G/F   E⁷

Capo 3rd fret

♩ = 63

Intro

| C | Cmaj⁷ | Em | Em |

Verse 1

|C
Your eyes are just like black spiders,
|Cmaj⁷ |Em
     Your hair and dress in ribbons.
     |Em
Babycakes.
|C |Cmaj⁷
In despair or incoherent, nothing in between.
|Em
China white, my bride tonight
|Em
     Smiling on the tiles.

Chorus 1

|G |G/F♯
     Bring that minute back
              |G/F
We never get so close as when
                   |E⁷
The sunward flight begins.

|G |G/F#
I share it all with you
    |G/F |E⁷ | |
Powder blue. _____

Verse 2 |C
    Stumble through the crowds together.
|Cmaj⁷ |Em
    They're trying to ignore us –
    |Em
That's okay.
    |C
I'm proud to be the one you hold
|Cmaj⁷
When the shakes begin
|Em
Sallow-skinned, starry-eyed,
|Em
Blessed in our sin.

Chorus 2 |G |G/F#
   Bring that minute back –
    |G/F
We never get so close to death.
    |E⁷
Makes you so alive.
  |G |G/F#
I share it all with you,
    |G/F |E⁷ |E⁷ |E⁷ |E⁷ |
Powder blue. _____ hey, yeah. _____

Instrumental C   Cmaj⁷   Em

‖: / / / / | / / / / | / / / / | / / / / :‖

Chorus 3 | G | G/F♯
          Bring that minute back
                    | G/F
      We never get so close as when
                       | E^7
      The sunward flight begins.
   | G | G/F♯
   I share it all with you
          | G/F | E^7 | E^7 |
   Powder blue. ⸺⸺⸺⸺⸺⸺⸺⸺

Coda

C $Cmaj^7$ Em

| / / / / | /   / / / | / / / / | / / / / |

C $Cmaj^7$ Em

| / / / / | /   / / / | / / / / ‖

Rhythm & Blues Alibi

**Words and Music by
THOMAS GRAY, OLIVER PEACOCK, IAN BALL,
PAUL BLACKBURN AND BENJAMIN OTTEWELL**

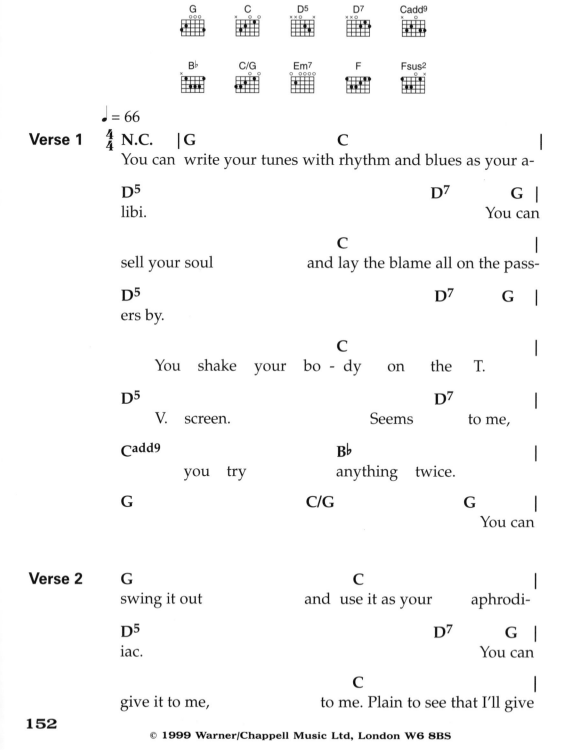

♩ = 66

Verse 1 4/4 N.C. |G   C |
You can write your tunes with rhythm and blues as your a-

D5   D7   G |
libi.   You can

                                    C |
sell your soul   and lay the blame all on the pass-

D5   D7   G |
ers by.

                                    C |
        You   shake   your   bo - dy   on   the   T.

D5   D7 |
        V.   screen.   Seems   to me,

Cadd9   B♭ |
        you   try   anything   twice.

G   C/G   G |
                                                                      You can

Verse 2   G   C |
        swing it out   and use it as your   aphrodi-

D5   D7   G |
iac.   You can

                                    C |
give it to me,   to me. Plain to see that I'll give

152

D⁵
it you back. 　　　　　　　　　　　　　　　**D⁷**　　**G**　　　|

　　　　　　　　　　　　　　　　　　C　　　　　　　　　　|
　　You　let　it　flow,　　　let　it　go,　there's

D⁵　　　　　　　　　　　　　　　　　**D⁷**　　　　　　|
nothing　to　it,　　　　　　　　　　anyone　can,

Cadd9　　　　　　　　　　**Bb**　　　　　　　　　　　|
　　　try　　　　　　　anything　twice.

　　　　G　　　　　　**C/G**　　　　　　　　**G**
|　　　/　　　　/　　　　/　　　　/　　　　|

Cadd9　　　　　　　　　**Bb**　　　　　　　　　　　|
　　Try　　　　　　　anything　twice.

　　　　G　　　　　　**C/G**　　　　　　　　**G**
|　　　/　　　　/　　　　/　　　　/　　　　|

Chorus 1　　**G**　　　　　**C**　　　　|F　**Fsus2**　F　　　　**Em⁷**　|
Chasing after stories that have al　-　ready　　been told.

G　　　　　　　　**C**　　　　　|F　**Fsus2**　F　**Em⁷**　|
Could not look old Son House in the eye.

G　　　　　　　　**C**　　　|F　**Fsus2**　F　　　　**Em⁷**　|
I know where you　carry　such a　　fragile　load,　　　　but

G　　　　　　**F**　　　　　|　**C**　　　　　|$\frac{2}{4}$ **Bb**　|
I got yours and you got mine. It's a　rhythm and blues　alibi.

Interlude　　　**G**　　**C**　　　**D⁵**　**D⁷ G**　　　**C**　　　**D⁵**　**D⁷ G**
$\frac{4}{4}$| / / / / | / / / / | / / / / | / / / / |

　　　　　　　C　　　**D⁵**　**D⁷ G**　　　**C**　　　**D⁵**　**D⁷ G**
| / / / / | / / / / | / / / / | / / / / |

Verse 3　　　**G**　　　　　　　　　**C**　　　　　　　　　　|
　　take a trip　　　　through the juke　joints　smoke　filled　**153**

D⁵
paradise.   **D⁷**   **G** |
                                                                          You can

                                                    C |
give it all   'cause you   are walking a

D⁵   **D⁷**   **G** |
fine,   fine line,   line.

                                                    C |
    You   shake   your   boo - ty   on   the   T.

D⁵   **D⁷** |
    V.   screen.   Seems   to me,

Cadd9   **B♭** |
        you   try   anything   twice.

          G   **C/G**   **G**
    | /   /   /   / |

Cadd9   **B♭** |
        Try   anything   twice.

          G   **C/G**   **G**
    | /   /   /   / |

Chorus 2   **G**   **C** |**F**   **Fsus2** **F**   **Em⁷** |
               Chasing after stories that have al   -   ready   been told.

               G   **C** |**F**   **Fsus2**   **F**   **Em⁷** |
               Could not look old Son House in the eye.

               G   **C** |**F**   **Fsus2**   **F**   **Em⁷** |
               I know where you carry such a   fragile   load,   but

               G   **F** | **C** |$\frac{2}{4}$ **B♭** |
               I got yours and you got mine. It's a   rhythm and blues   alibi.

Coda $\frac{4}{4}$ **G**   **C** |**D⁵**   **D⁷**   **G** |
            (twice)   You   try   anything

                                C |**D⁵**   **D⁷**   **G** |
            twice.   You   try   anything

            (Repeat Coda to fade)

Save Tonight

Words and Music by
EAGLE-EYE CHERRY

Am   F   C   G

♩ = 119

Intro

|: Am   F | C   G   :| Am   F | C   G |

/ / / / | / / / / :| / / / / | / / / / ‖

Play 3 times

Verse 1

| Am   F | C   G
Go and close   the curtains,

     | Am   F | C   G
'cause all we need   is candlelight,

     | Am   F | C   G
You and me   and the bottle of wine,

     | Am   F | C   G
and I'll hold you tonight.

     | Am   F | C   G
Well we know   I'm going away

       | Am   F | C   G
and how I wish,   I wish it weren't so,

       | Am   F | C   G
So take this   wine   and drink with me –

| Am   F | C
Let's delay our misery.

Chorus 1

G | Am   F | C   G
Save tonight   and fight the break of dawn,

|Am   F |C   G

Come   tomorrow,   tomorrow I'll be gone.

|Am F |C   G

Save tonight   and fight the break of dawn,

|Am   F |C   G

Come   tomorrow,   tomorrow I'll be gone.

Verse 2

|Am F |C   G |Am F |C   G

There's a log   on the fire, and it burns like me for you.

|Am   F |C   G

Tomorrow   comes with one   desire:

|Am   F |C   G

To take me away, it's true.

|Am F |C   G

It ain't easy   to say goodbye –

|Am   F |C G

Darling, please   don't start to cry

|Am   F |C   G

'Cause girl you know I've got to go

|Am   F |C

And Lord I wish it wasn't so.

Chorus 2

G |Am F |C   G

Save tonight   and fight the break of dawn,

|Am   F |C   G

Come   tomorrow,   tomorrow I'll be gone.

|Am F |C   G

Save tonight   and fight the break of dawn,

|Am   F |C   G

Come   tomorrow,   tomorrow I'll be gone.

Solo 1

       Am   F   C   G   Am F   C G

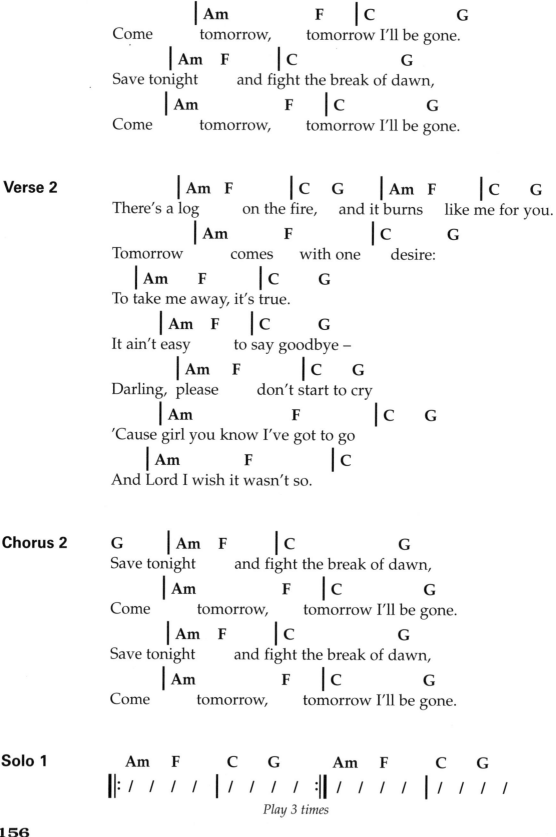

||: / / / / | / / / / :|| / / / / | / / / /

Play 3 times

Verse 3

| Am   F | C   G

Tomorrow comes to take me away,

| Am   F | C   G

    I wish that I, that I could stay.

| Am   F | C   G

Girl you know I've got to go

    | Am   F | C

Oh and Lord I wish it wasn't so.

Chorus 3

‖: G | Am   F | C   G

  Save tonight   and fight the break of dawn,

    | Am   F | C   G

Come   tomorrow,   tomorrow I'll be gone.

    | Am   F | C   G

Save tonight   and fight the break of dawn,

    | Am   F | C   G   :‖

Come   tomorrow,   tomorrow I'll be gone.

Coda

‖: Am   F | C   G

    Tomorrow I'll be gone

| Am   F | C   G   :‖

    Tomorrow I'll be gone

Solo 2

  Am   F   C   G

‖: / / / / | / / / /   :‖   *Play 3 times*

Repeat to fade

| Am   F | C   G   ‖: Am   F | C   G   :‖

    Save to - night   Save to -

157

Silent Sigh

Words and Music by
DAMON GOUGH

Fmaj7 C G Am7 G/B

♩ = 102

Intro

Fmaj⁷
4/4 | / / / / | / / / / | / / / / | / / / / |

C
| / / / / | / / / / | / / / / | / / / / |

Fmaj⁷
| / / / / | / / / / | / / / / | / / / / |

| C | | | C | Fmaj7 | ‖
Ooh-ah, ooh-ah, ooh-ah, ooh-ah,   ooh. _____

Verse 1

| Fmaj⁷ | | C
Come see what we all talk about:

| |
People moving to the Moon

|
Stop, baby, don't go; stop here.

| G   Am⁷ | G/B G
Never stop living   here   'til it

| Fmaj⁷ |
Eats the   heart from your soul,

|
Keeps down the sound of

Chorus 1

| C |

Your silent sigh,

| | | Fmaj7

Silent sigh, silent sigh

|

Silent, silent, silent.

| |

Keeps down all.

| C

Move me down.

| | | |

Could we love each other? _____ oh,

Instrumental 1 Fmaj⁷

| / / / / | / / / / | / / / / | / / / ooh —|

C

| ———ye - |ah / / / | / / / / | / / / / |

Fmaj⁷

| / / / / | / / / / |

Verse 2

| Fmaj⁷ | | C

Come see what we all talk about:

| |

People moving to the Moon

|

Stop, baby, don't go; stop here.

| G   Am⁷ | G/B   G

Never stop living   here   'til it

| Fmaj⁷ |

Eats the   heart from your soul,

|

Keeps down the sound of

159

Chorus 2

|C |
Your silent sigh,

| | |Fmaj⁷
    Silent sigh, silent sigh

|
Silent, silent, silent.

| |
Keeps down all.

          |C
Move me down.

          |
But don't love each other.

| |
    No, don't love each other.

|G   Am⁷ |G/B   G
Never gonna be the   same,   baby, oh.

|Fmaj⁷ | | |
    See, sigh, see, sigh,   see, sigh,   sigh _____

Coda

|C | | |
Silent sigh,   silent, silent, silent,

|Fmaj⁷ | |
Silent, si - lent, (silent sigh.)

          | |C
Please don't we all, move me down.

          | | |Fmaj⁷
(Silent sigh), silent,   silent, silent, silent sigh.

| | | |C
    Silent sigh,   move me down,

          | | | |
we're gonna love each other.   / / / /   / / / /

(Vocal ad lib.)

Instrumental 2   Fmaj⁷

$$\|: / \ / \ / \ / \ | \ / \ / \ / \ / \ | \ / \ / \ / \ / \ | \ / \ / \ / \ / \ |$$

C

$$| \ / \ / \ / \ / \ | \ / \ / \ / \ / \ | \ / \ / \ / \ / \ | \ / \ / \ / \ / :\|$$

Repeat to fade

Secret Smile

Words and Music by
DAN WILSON

Bbm · Bb · Ebm9 · Ab6 · Ab · Gbmaj7

Ab13 · Gb · Db6 · Eb · Dbmaj7

♩ = 96

Intro

| Bbm | Bb | Ebm9 | Bb | Ab6 | Ab | Gbmaj7 | Ab13 |

4/4 | / / / / | / / / / | / / / / | / / / / |

| Bbm | Ebm9 | Ab6 | Gbmaj7 | Ab13 |

| / / / / | / / / / | / / / / | / / / / |

Verse 1

Bbm | Ebm9
    Nobody knows it,   but you've   got a secret   smile

Ab6 | Gbmaj7
    and you use it   on-ly   for me.

Bbm | Ebm9
    Nobody knows it,   but you've   got a secret   smile

Ab6 | Gbmaj7
    and you use it   on-ly   for me.   So

Bbm | Ebm9
use   it   and prove   it.   Re-

Ab6 | Gbmaj7
move   this   whirling sadness.   I'm

Bbm | Ebm9
losing,   I'm bluesing,   but

Ab6 | Gbmaj7
you   can   save me from madness.

| **B♭m** / / / / | **E♭m⁹** / / / / | **A♭⁶** / / / / | **G♭maj7** / / / / |

Verse 2

B♭m |**E♭m⁹** |
   Nobody knows it,   but you've   got a secret   smile,

A♭⁶ |**G♭maj7** |
    and you use it   on-ly   for me.

B♭m |**E♭m⁹** |
   Nobody knows it,   but you've   got a secret   smile,

A♭⁶ |**G♭maj7** |
    and you use it   on-ly   for me.   So

B♭m |**E♭m⁹** |
save   me   I'm waiting,   I'm

A♭⁶ |**G♭maj7** |
needing   hear   me pleading.   And

B♭m |**E♭m⁹** |
soothe   me   im-prove   me,   I'm

A♭⁶ |**G♭maj7** |
grieving,   I'm barely believing   now,

A♭ |**G♭** |
     now.   When

Bridge 1

D♭⁶ |**E♭** |
  you are flying   a-round and around   the world

A♭ |**D♭maj7** |
   and I'm lying alone - ly,

D♭⁶ |**E♭** |
  I know there's something   sacred and free,   reserved

A♭ |**D♭maj7** |
   and received by me only.

Verse 3

B♭m | E♭m⁹

Nobody knows it,   but you've   got a secret   smil

A♭⁶ | G♭maj7

and you use it   on-ly   for me.

B♭m | E♭m⁹

Nobody knows it,   but you've   got a secret   smile

A♭⁶ | G♭maj7

and you use it   on-ly   for me.   Sc

B♭m | E♭m⁹

use   it   and prove   it.   R

A♭⁶ | G♭maj7

move   this   whirling   sadness.   I'ı

B♭m | E♭m⁹

losing,   I'm bluesing,   bı

A♭⁶ | G♭maj7

you   can   save me from madness   noν

A♭ | G♭

now.   Whe

Bridge 2

D♭⁶ | E♭

you are flying   a-round and around   the worlc

A♭ | D♭maj7

and I'm lying alone - ly,

D♭⁶ | E♭

I know there's something   sacred and free,   reserve

A♭ | D♭maj7

and received by me only.

D♭⁶ | E♭

Nobody knows it,   but you've   got a secret   smi

A♭ | D♭maj7

and you use it   only for me.

Db6 |Eb |
Nobody knows it, but you've got a secret smile,

Ab Dbmaj7

| / / / / | / / / / |

Interlude Bbm   Ebm9   Ab6   Gbmaj7
| / / / / | / / / / | / / / / | / / / / |

Bbm   Ebm9   Ab6   Gbmaj7
| / / / / | / / / / | / / / / | / / / / |

Coda Bbm |Ebm9 |
Nobody knows it,   nobody knows it,

Ab6 |Gbmaj7 |
nobody knows it,   but you've   got a secret.

Bbm |Ebm9 |
Nobody knows it,   nobody knows it,

Ab6 |Gbmaj7 |
nobody knows it,   but you've   got a secret.

Bbm |Ebm9 |
Nobody knows it,   nobody knows it,

Ab6 |Gbmaj7 |
nobody knows it,   but you've   got a secret.

Bbm |Ebm9 |
Nobody knows it,   nobody knows it,

Ab6 |Gbmaj7 |
nobody knows it,   but you've   got a secret.

Bbm |Ebm9 ||
Nobody knows it,   nobody knows it.

Shot Shot

Words and Music by
IAN BALL, PAUL BLACKBURN, THOMAS GRAY,
BENJAMIN OTTEWELL AND OLIVER PEACOCK

D5   D/F#   F   G   E7   D

Tune ⑥ down to D

Intro

♩ = 133

(sound effects)

D5   D/F#   F

4/4 ‖: / / / / | / / / / :‖

Play 4 times

Verse 1

| D5   D/F# | F | D5
Well, hey, how's tricks, man?   Think I've seen ya before.

D/F# | F
Blank blank to that.

| D5   D/F# | F | D5
You looked a lot older,   ya been working out?

D/F# | F |
What's wrong with   that?

Link 1

D5   D/F#   F

‖: / / / / | / / / / :‖   *Play 6 times*

Verse 2

| D5   D/F# | F | D5
Well, he came back and   came a-marching in.

D/F# | F5
Shot shot to that.

| D5   D/F# | F
He found a good reason: do it for the money.

| D5   D/F# | F |
What's wrong with   that?

Chorus 1 $\frac{3}{4}$| G | | E⁷ |
Control your bad side, into   battle,
        | D | G
We go down, _____
            | D | G
Hold the line; _____
            | D | G | E⁷   *(pause)*
You'll sur - vive, _____ dead wrong.

Link 2   D⁵   D/F♯   F
$\frac{4}{4}$‖: / / / / | / / / / :‖ *Play 4 times*

Verse 3 | D⁵   D/F♯ | F | D⁵
So please stop talking,   start puckering   up,
        D/F♯ | F
My ears are blank.
            | D⁵   D/F♯ | F | D⁵
It's a special occasion, so do it for the money, _____
            D/F♯ | F
Can't go wrong with   that.

Chorus 2 $\frac{3}{4}$| G | | E⁷ |
Explode or capsize, but find my going.
            | D | G
If you're down, _____
            | D | G
Toe the line; _____
            | D | G | E⁷   *(pause)*
You'll survive, _____ dead wrong.

Coda   D⁵   D/F♯   F
$\frac{4}{4}$| / / / / | / / / /   ‖

Silent To The Dark

Words and Music by
TOM WHITE

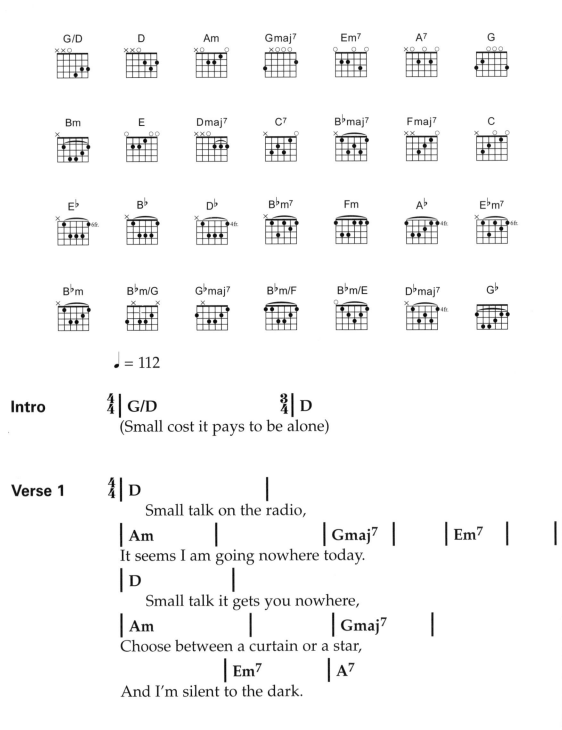

$\quad$ = 112

Intro $\frac{4}{4}$ | G/D $\qquad$ $\frac{3}{4}$ | D

(Small cost it pays to be alone)

Verse 1 $\frac{4}{4}$ | D $\qquad$ |

$\qquad$ Small talk on the radio,

| Am $\qquad$ | $\qquad$ | Gmaj⁷ | $\qquad$ | Em⁷ | $\qquad$ |

It seems I am going nowhere today.

| D $\qquad$ |

$\qquad$ Small talk it gets you nowhere,

| Am $\qquad$ | $\qquad$ | Gmaj⁷ $\qquad$ |

Choose between a curtain or a star,

$\qquad$ | Em⁷ $\qquad$ | A⁷

And I'm silent to the dark.

Chorus 1

|D · · · · · · · · · · · · · · · |G

'Cause when I needed someone to talk to,

· · · · · · |Bm · · · |E

You were the only one around.

|Em⁷ · · · · · · · |G · · |D · · · | · · · · A⁷ · · |

· · · · A small cost it pays to be alone. · · · · / · / · / · /

Verse 2

|D · · · · · · · · · |

· · · Small talk on the radio

|Am · · · | · · · · · |Gmaj⁷ | · · |Em⁷ · | · |

It seems I am going nowhere today, not today.

|D · · · · · |

· · · Small talk it gets you nowhere,

|Am · · | · · · · |Gmaj⁷ · · · |

I'm silent to the dark and tepid

· · |Em⁷ · · · |A⁷

Only when you ask.

Chorus 2

|D · · · · · · · · · · · · · |G

'Cause when I needed someone to talk to,

· · · · · · |Bm · · |E

You were the only one around.

|Em⁷ · · · · · · |G · · |Dmaj⁷ · | · · · A⁷ · · |

· · · · A small cost it pays to be alone. · · · · / · / · / · /

· · · · · · · · |D · · · · |G

And when I needed someone to talk to,

· · · · · · |Bm · · |E

You were the only one around.

|Em⁷ · · · · · · |G · · |Dmaj⁷ |C⁷ · |G · |A⁷ · |

· · · A small cost it pays to be alone.

Link · · · · B♭maj⁷

· · · · · / · / · / · / · |· / · / · / · / · |

169

Bridge

| Fmaj⁷ | |
And you can do anything you want,
| B♭maj⁷ | |
And you can do anything you want,
| Fmaj⁷ | |
You can do anything you want,
| B♭maj⁷ | | C |
It doesn't mat   -   -   -   ter,
| E♭ | | B♭ |
It doesn't mat   -   -   -   -   ter.

Chorus 3   N.C. | D | G
'Cause when I needed someone to talk to,
| Bm | E
You were the only one around.
| Em⁷ | G | Dmaj⁷ | A⁷ |
A small cost it pays to be alone.   /   /   /   /
| D | G
And when I needed someone to talk to,
| Bm | E
You were the only one around,
| Em⁷ | G | Dmaj⁷ | C⁷ | G | A⁷ |
A small cost it pays to be alone. _____

Instrumental 1   D♭   B♭m⁷   D♭   *(freely)*   D♭

| /   /   /   / | /   ‖ | |

Fm   A♭   E♭m⁷

| | | | | |

| B♭m
And when I needed someone.
| B♭m⁷ | B♭m/G | G♭maj⁷ | F |
To talk to,   to talk to,   to talk to.

Instrumental 2

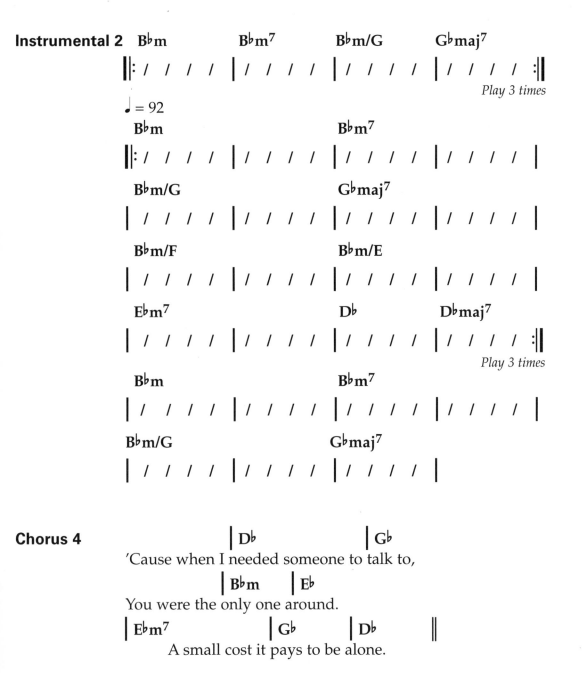

B♭m   B♭m⁷   B♭m/G   G♭maj⁷

‖: / / / / | / / / / | / / / / | / / / / :‖

Play 3 times

♩ = 92

B♭m   B♭m⁷

‖: / / / / | / / / / | / / / / | / / / / |

B♭m/G   G♭maj⁷

| / / / / | / / / / | / / / / | / / / / |

B♭m/F   B♭m/E

| / / / / | / / / / | / / / / | / / / / |

E♭m⁷   D♭   D♭maj⁷

| / / / / | / / / / | / / / / | / / / / :‖

Play 3 times

B♭m   B♭m⁷

| / / / / | / / / / | / / / / | / / / / |

B♭m/G   G♭maj⁷

| / / / / | / / / / | / / / / |

Chorus 4

                | D♭ | G♭

'Cause when I needed someone to talk to,

            | B♭m | E♭

You were the only one around.

| E♭m⁷ | G♭ | D♭   ‖

A small cost it pays to be alone.

Slight Return

Words and Music by
ADAM DEVLIN, EDWARD CHESTER,
SCOTT MORRISS AND MARK MORRISS

$\quad$ = 102

Verse 1 $\frac{4}{4}$ | D $\qquad$ | Dmaj⁷

Where did you go _____

| G $\qquad$ | A

When things went wrong for you?

| G $\qquad$ | A

When the knives came out for you?

| D $\qquad$ | Dmaj⁷

Where did you go?

| G $\qquad$ | A

All you needed was a friend,

| G $\qquad$ | A

You just had to ask and then ...

Chorus 1 | D

You don't have to have the solution,

| F♯m/C♯ $\qquad$ G $\qquad$ A

You've got to understand the problem,

| G $\qquad$ | B♭ $\qquad$ C

And don't go hoping for a miracle.

|G |A   G
All this will fade away.
|D |A |D |A
So I'm coming home,   I'm coming home.

Verse 2

|D |Dmaj^7
What did you learn?
|G |A
Locked away all on your own,
|G |A
Chance and your head all blown.
|D |Dmaj^7
What did you learn?
|G |A
It was unfortunate.
|G |A
You missed your chance to find out that

Chorus 2

|D
You don't have to have the solution,
|F#m/C#   G   A
You've got to understand the problem.
|G |B♭   C
And don't go hoping for a miracle.
|G |A
All this will fade away.
|D |A |D |A
So I'm coming home,   I'm coming home.

Link   D   Dmaj^7

| / / / / | / / / / |

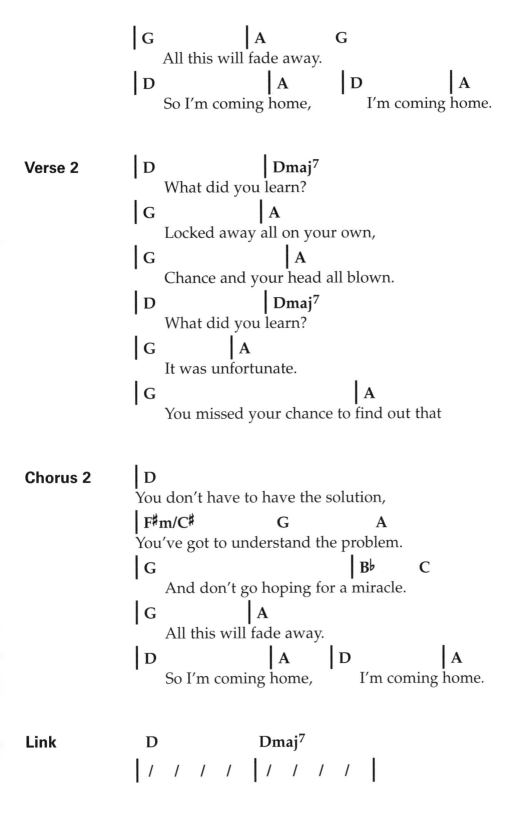

Instrumental   G   A   G   A   D

| / / / / | / / / / | / / / / | / / / / | / / / / |

Dmaj⁷   G   A   G   A   N.C.

| / / / / | / / / / | / / / / | / / / / | / / |

Chorus 1 | D
You don't have to have the solution,
| F♯m/C♯   G   A
You've got to understand the problem,
| G | B♭   C
    And don't go hoping for a miracle.
| G | A   G
    All this will fade away.
| D | A | D | A
    So I'm coming home,   I'm coming home.

Chorus 3 | D | A
    I'm coming home
| F/C   C | G | F   G | D | Dmaj⁷ |
    But just for a short while. / / / / / / / / / / / /

Coda   D   Dmaj⁷   G/D   A/D   Dsus²

|: / / / / | / / / / :|| / / / / | / / / / | / / / / ||

174

Soak Up The Sun

Words and Music by
SHERYL CROW AND JEFFREY TROTT

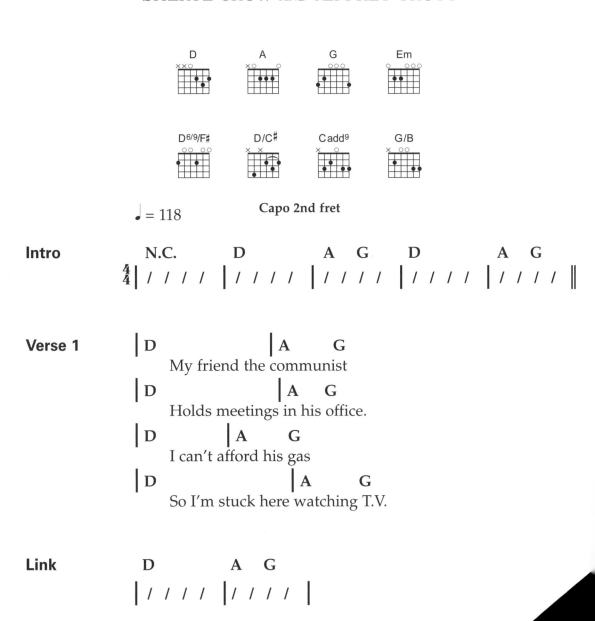

♩ = 118   **Capo 2nd fret**

Intro

N.C.   D   A   G   D   A   G

4/4 | / / / / | / / / / | / / / / | / / / / | / / / / ‖

Verse 1

| D | A   G
My friend the communist

| D | A   G
Holds meetings in his office.

| D | A   G
I can't afford his gas

| D | A   G
So I'm stuck here watching T.V.

Link

D   A   G

| / / / / | / / / / |

Verse 2

| D | A   G
I don't have digital,

```
|D                        |A      G
     I don't have diddly-squat.
|D                            |A      G
     It's not having what you want,
|D                           |A      G
     It's wanting what you've got.
```

Chorus 1

```
|D          |                              |A
     I'm _____ gonna soak up the sun,

|                        |Em   D6/9/F#  |G    |A
     I'm gonna tell everyone      to    lighten up.

|
     I'm gonna tell them that
|D          |                   |A
     I've_____ got no-one to blame.

|                        |Em    D6/9/F#  |G       |A
     Well, every time I feel lame      I'm    looking up.

|                        |D
     I'm gonna soak up the sun,
|A                            |D         |A    G    |
     I'm gonna soak up the sun.
```

Verse 3

```
|D              |A     G
     I've got a crummy job,
|D                   |A     G
     It don't pay near enough
                     |A      G
              things it'd take
                     |A      G
              some of your love.
```

round

USA and
W6 8BS and
3DT

|Cadd⁹   G/B
I'm looking up, you're looking down,
|D   D/C♯
Maybe something's wrong with you
        |G |A
That makes you act the way you do.
|G |A
Maybe I am crazy too.

Chorus 2 |D | |A
    I'm _____ gonna soak up the sun,
| |Em   D⁶ᐟ⁹/F♯ |G |A
    I'm gonna tell everyone   to   lighten up.
|
    I'm gonna tell them that
|D | |A
    I've _____ got no-one to blame.
| |Em   D⁶ᐟ⁹/F♯ |G |A
    Well, every time I feel lame   I'm   looking up.

Chorus 3 |D | |A
    I'm _____ gonna soak up the sun,
| |Em   D⁶ᐟ⁹/F♯ |G |A
    I'm gonna tell everyone   to   lighten up.
|
    I'm gonna tell them that
|D |A
I've got no-one to blame,
| |Em   D⁶ᐟ⁹/F♯ |G |A
    For every time I feel lame   I'm   looking up.

Coda |D | |A
    I'm _____ gonna soak up the sun,
| |Em D⁶ᐟ⁹/F♯ |G |A   ‖
    I've got my 45 on   so   I   can rock on.

Something In My Eye

Words and Music by
ED HARCOURT

Chord diagrams: E, E*, Aadd⁹, Badd¹¹, C#m⁷, F#m⁷add¹¹, G#m⁶

Open E tuning: E B E G# B E

♩ = 69

Intro

E E E* E E*   E E* E E*   E E* E E*   E E* E E*
4/4 / | / / / / | / / / / | / / / / | / / / / ‖

Verse 1

E E* E E* | E E* E   E* | Aadd⁹ | E E* E E* | ℅ |
Spi - der   has — eight legs, you know,

E E* E E* | E E* E   E* | Aadd⁹ | E E* E E* | ℅ |
Spins its   web,   the   patterns   flow.

___

Chorus 1

| Badd¹¹ | Aadd⁹
    There's something in my eye,

          | C#m⁷
Bloodshot, in disguise.

               | F#m⁷add¹¹
God knows I really try

          | E | Aadd⁹
Making the big-time,

          | G#m⁶ | Aadd⁹
Aiming to climb high.

Link

E E* E E*   E E* E E*   E E* E E*   E E* E E*
| / / / / | / / / / | / / / / | / / / /

Verse 2

E E* E E* | E E* E E* | Aadd^9 | E E* E E* | ⁒ |
Scattered   seeds   can't   fight   the   cold.

E E* E E* | E E* E E* | Aadd^9 | E E* E E* |
Circus   horse   just   wants   to   halt.

Chorus 2

| Badd^{11} | Aadd^9
            There's something in my eye

| C$^\sharp$m^7
Bloodshot, in disguise.

| F$^\sharp$m^{7}add^{11}
God knows I'm really tired.

| E | Aadd^9
Let's make the big-time

| G$^\sharp$m^6 | Aadd^9
Aiming to climb high.

Instrumental

E E* E E*   E E* E E*   E E* E E*   E E* E E*

| / / / / | / / / / | / / / / | / / / /

    Aadd^9 F$^\sharp$m^{7}add^{11}

| / / / / | / / / / | / / / / |

| | E | Aadd^9
        Let's make the big-time,

| G$^\sharp$m^6 | Aadd^9
Aiming to climb high,

| G$^\sharp$m^6 | Aadd^9
Aiming to climb high. _____

Coda

E E* E E*   E E* E E*

| / / / / | / / / /

| E   E* E   E* | E E* E   E* | Aadd^9 | E
Spi - der   has   eight   legs,   you   know. ‖

Something To Talk About

Words and Music by
DAMON GOUGH

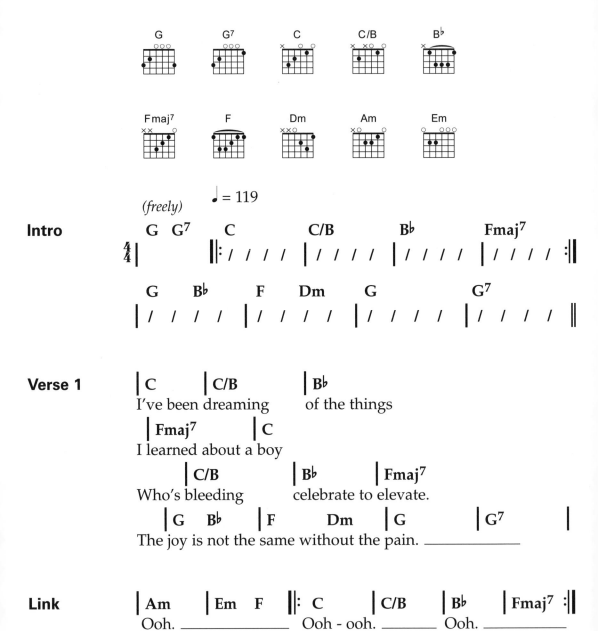

Intro

(freely) ♩ = 119

G G7 C C/B B♭ Fmaj7

G B♭ F Dm G G7

Verse 1

|C |C/B |B♭
I've been dreaming   of the things

|Fmaj7 |C
I learned about a boy

|C/B |B♭ |Fmaj7
Who's bleeding   celebrate to elevate.

|G B♭ |F Dm |G |G7 |
The joy is not the same without the pain. _____

Link

|Am |Em F ‖: C |C/B |B♭ |Fmaj7 :‖
Ooh. _____ Ooh - ooh. _____ Ooh. _____

Verse 2

| C | C/B | B♭ | Fmaj⁷ |

Ipso facto   using up your oxygen.

| C | C/B |

You know I'm shallow

| B♭ | Fmaj⁷ |

Calling out for extra help.

| G   B♭ | F   Dm | G | G⁷ | |

You've got to let me in or let me out. _____

Chorus 1

| Am | Em   F | C | | |

Ooh,   something to talk about. _____

| Am | Em   F |

Yeah,   something to talk about.

Instrumental

   C   C/B   B♭   Fmaj⁷

‖: / / / / | / / / / | / / / / | / / / / :‖

   Am Em   Dm *Play 3 times* G   G⁷

‖: / / / / | / / / / :‖ / / / / | / / / / |

Ooh. _____

Verse 3

| C | C/B | B♭ |

I've been dreaming of the things

| Fmaj⁷ | C |

I learned about a boy

| C/B | B♭ | Fmaj⁷ |

Who's leaving nothing else to chance again.

| G   B♭ | F   Dm | G | G⁷ | |

You've got to let me in or let me out.

Chorus 2 | Am | Em   F | C | |

Ooh,   something to talk about. _____

| Am | Em   F |

Yeah,   something to talk about. ____

Coda   ‖: C | C/B | B♭ | Fmaj⁷   :‖

Ooh - ooh. _____ Ooh. _____

Am Em   Dm   G   G⁷   G Dm   C

‖: / / / / | / / / / :‖ / / / / | (freely) | ‖

Play 3 times

Song 2

Words and Music by
DAMON ALBARN, ALEX JAMES,
GRAHAM COXON AND DAVID ROWNTREE

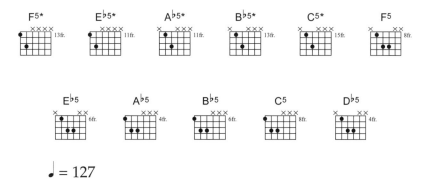

$\downarrow$ = 127

Intro

$\frac{4}{4}$ (drums 4 bars) $\quad\quad$ F5* $\quad$ E♭5* $\quad\quad$ A♭5* B♭5* C5*
| / / / / | / / / / |

F5* $\quad$ E♭5* $\quad$ | A♭5* B♭5* C5* $\quad\quad$ ‖: F5 $\quad$ E♭5 |
/ / / / $\quad$ / / / whee - ooh! /

Play 3 times
A♭5 B♭5 C5 $\quad\quad\quad$:‖ F5 $\quad$ E♭5 | A♭5 B♭5 C5
/ / / whee - ooh! / / / /

Verse 1

| F5* $\quad\quad$ E♭5* $\quad$ | A♭5* B♭5* C5*
I got my head checked
| F5* $\quad$ E♭5* $\quad$ | A♭5* B♭5* C5*
By a jumbo jet:
| F5* $\quad$ E♭5* $\quad$ | A♭5* B♭5* C5*
It wasn't easy
| F5* $\quad$ E♭5* $\quad$ | A♭5* B♭5* C5* $\quad\quad\quad$ |
But nothing is, —————— $\quad\quad$ no. (whoo-

Chorus 1

| F5   Eb5 | Ab5   Bb5   C5 | F5   Eb5 |

- ooh!)   When I feel heavy metal (whoo - ooh!)

| Ab5   Bb5   C5 | F5   Eb5 |

And I'm pins and I'm needles, (whoo - ooh!)

| Ab5 Bb5 C5 |

Well I lie and I'm easy

| F5 | Ab5 | Db5 |

All of the time but I'm never sure why I need you.

| | |

Pleased to meet you.

Link

F5   Eb5   Ab5 Bb5 C5   F5   Eb5   Ab5 Bb5

| / / / / | /   /   / / | / / / / | /   / |

Verse 2

C5* | F5*   Eb5* | Ab5* Bb5* C5* |

I got my head done

| F5*   Eb5* | Ab5* Bb5* C5* |

When I was young.

| F5*   Eb5* | Ab5* Bb5* C5* |

It's not my problem,

| F5*   Eb5* | Ab5* Bb5* C5* |

It's not my   problem. _____ (whoo-

Chorus 2

| F5   Eb5 | Ab5   Bb5   C5 | F5   Eb5 |

- ooh!)   When I feel heavy metal (whoo - ooh!)

| Ab5   Bb5   C5 | F5   Eb5 |

And I'm pins and I'm needles, (whoo - ooh!)

| Ab5 Bb5 C5 |

Well I lie and I'm easy

| F5 | Ab5 | Db5 |

All of the time but I'm never sure why I need you.

| | |

Pleased to meet you.

Guitar solo

F⁵   E♭⁵   A♭⁵ B♭⁵ C⁵

‖: / / / / | / / / :‖ *Play 3 times*

Yeah, yeah.

F⁵   E♭⁵   A♭⁵ B♭⁵ C⁵   F⁵

| / / / / | / / / | / ‖

Oh,   yeah!

Song For The Lovers

Words and Music by
RICHARD ASHCROFT

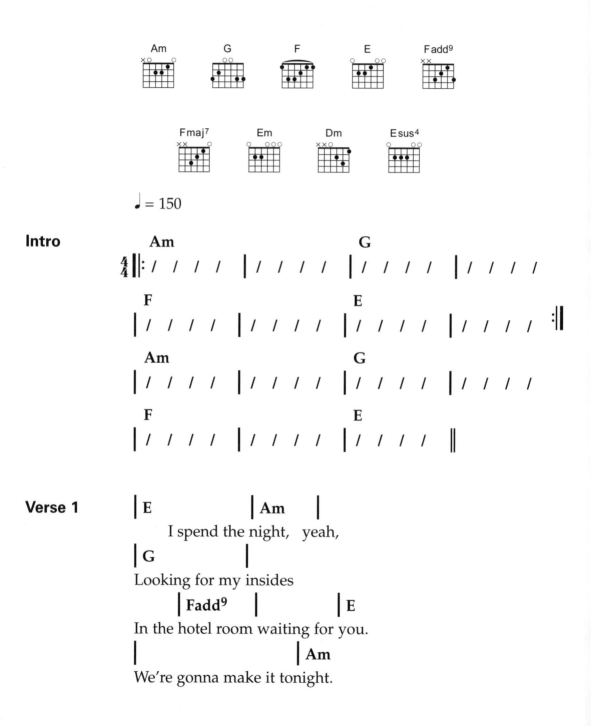

♩ = 150

Intro

Am G
F E

Am G
F E

Verse 1

| E |Am |
    I spend the night, yeah,
| G |
Looking for my insides
   | Fadd⁹ | | E
In the hotel room waiting for you.
| |Am
We're gonna make it tonight.

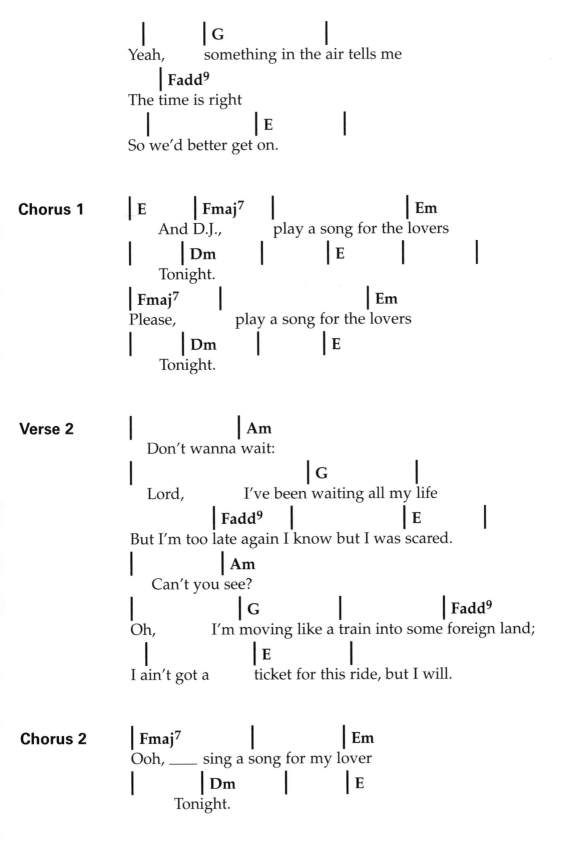

| | |G | | |
Yeah,   something in the air tells me
| |Fadd⁹
The time is right
| | |E | |
So we'd better get on.

Chorus 1 |E |Fmaj⁷ | |Em
And D.J.,   play a song for the lovers
| |Dm | |E | |
Tonight.
|Fmaj⁷ | |Em
Please,   play a song for the lovers
| |Dm | |E
Tonight.

Verse 2 | |Am
Don't wanna wait:
| |G |
Lord,   I've been waiting all my life
|Fadd⁹ | |E |
But I'm too late again I know but I was scared.
| |Am
Can't you see?
| |G | |Fadd⁹
Oh,   I'm moving like a train into some foreign land;
| |E |
I ain't got a   ticket for this ride, but I will.

Chorus 2 |Fmaj⁷ | |Em
Ooh, ___ sing a song for my lover
| |Dm | |E
Tonight.

| | |Fmaj⁷ | |Em |
        And D.J.,   play a song for my lover
| | |Dm | |E | |
        Tonight.

Instrumental   Am   G

| / / / / | / / / / | / / / / | / / / / |

        F   Esus⁴   E

| / / / / | / / / / | / / / / | / / / / |

        Am   G

| / / / / | / / / / | / / / / | / / / / |

        F   E   N.C.

| / / / / | / / / / | / | |

Chorus 3 |Fmaj⁷ | |Em |
        D.J,   play a song for my lover
        | |Dm | |E | |
        Tonight.
        |Fmaj⁷ | |Em |
        Please ——— play a song for the lovers
        | |Dm | |E |
        Tonight.   (Can't stop looking back)———

Chorus 4 |Fmaj⁷ | |Em |
        D.J,   play a song for my lover
        | |Dm | |E
        Tonight
        | |Fmaj⁷
      { (One more for the lovers)
      {   Please———

188

| | Em | | Dm | |

{   Play a song for my lover   (one more for the lovers)

                                      To-night

| E |

        (Can't stop looking back).

Vocal ad lib.

||: Fmaj⁷ | | Em |

D.J,   play a   song for my lover

| | Dm | | E

    Tonight

| | Fmaj⁷

{   (One more for the lovers)

                  Please _____

| | Em | | Dm | |

{   Play a song for my lover   (one more for the lovers)

                                  To-night

| E | :||

        (Can't stop looking back).

Instrumental Fmaj⁷   Em

Coda ||: / / / / | / / / / | / / / / | / / / /

Dm   E

| / / / / | / / / / | / / / / | / / / / :||

*Repeat to fade
with vocal ad lib.*

Standing Still

Words and Music by
JEWEL KILCHER AND RICK NOWELS

Bm   A   D   Gmaj7   Asus4   G

Em7   F#m   Dsus2   Gsus2   Asus4*   A*

♩ = 121

Intro

Bm   A   D

4/4 ‖: / / / / | / / / / | / / / / | / / / / :‖

Verse 1

| Bm | A | D |
Cutting through the darkest night   in my two headlights,
            | Bm | A | D |
Trying to keep it clear but I'm losing it here   to the twilight.
            | Bm | A | D
There's a dead end to my left, there's a burning bush to my right
| Bm | A | D |
You aren't in sight,   you aren't in sight.
            | Gmaj7 | | Asus4 | A | Gmaj7 | | Asus4
Do   you   want me   like   I   want you?

Chorus 1

            | A | D | G | Em7
Or   am I standing still be - neath the darkened sky?
            | A | D | G | Em7
Or   am I standing still with the scenery flying by?

|A |Bm |G |Asus⁴

Or   am I standing still, out of the corner of my eye

|F♯m |Bm |G |Asus⁴ |A

Was that you   passing me by?————

Verse 2

|Bm | A

Mothers on the stoop, boys in souped-up coupes

     |D |

On this hot summer night.

      |Bm | A

Between fight and flight is the blind man's sight

     |D |(D)

And the choice that's right.

 |Bm | A

I roll the window down, feel like I'm gonna drown

 |D |

In this strange town.

  |Bm |

Feel broken down,

A |D |

   I feel broken down.

|Gmaj⁷ | |Asus⁴ |A |Gmaj⁷ | |Asus⁴

Do   you need me   like   I   need you?

Chorus 2

  |A |D |G |Em⁷

Or   am I standing still be - neath the darkened sky?

 |A |D |G |Em⁷

Or   am I standing still with the scenery flying by?

   |A |Bm |G |Asus⁴

Or   am I standing still, out of the corner of my eye

|F♯m |Bm |G |Asus⁴ |F♯m

Was that you   passing me by?————

Bridge

| (Bm) |

Sweet sorrow is the call tomorrow,

Sweet sorrow is the call tomorrow.

| Dsus² | Gsus² | Asus⁴* | A* | Dsus² | Gsus² | Asus⁴*

Do   you   love me,   like   I   love you?

Chorus 3

| A | D | G | Em⁷

Or am I standing still be - neath the darkened sky?

| A | D | G | Em⁷

Or am I standing still with the scenery flying by?

| A | Bm | G | Asus⁴

Or   am I standing still, out of the corner of my eye

| F♯m | Bm | G | Asus⁴

Was that you   passing me by?_____

Coda

| A | D | G | Asus⁴ | A

Are you pass - ing me by?   Passing me

| D | G | Asus⁴ | A

{ Do   you want me?   Passing me
{ by

| D | G | Asus⁴ | A

{ Do you need me like I need you too?
{ by

| D | G | Asus⁴ | A

And do you want me like I want you?

| D | G | Asus⁴ | A

Are you pass - - ing me by_____

| D || *fade*

Or am I standing still?

Street Spirit
(Fade Out)

Words and Music by
THOMAS YORKE, EDWARD O'BRIEN,
COLIN GREENWOOD, JONATHAN GREENWOOD
AND PHILIP SELWAY

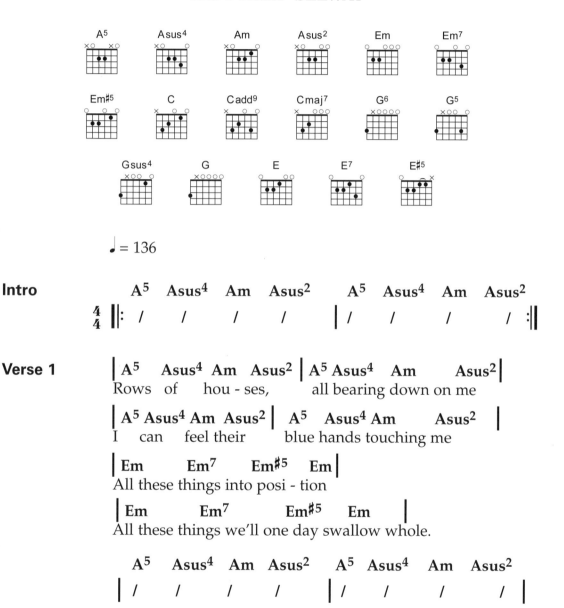

$\downarrow$ = 136

Intro

A5 Asus4 Am Asus2 A5 Asus4 Am Asus2

Verse 1

| A5   Asus4 Am Asus2 | A5 Asus4 Am   Asus2 |
Rows of   hou - ses,   all bearing down on me

| A5 Asus4 Am Asus2 | A5   Asus4 Am   Asus2 |
I   can   feel their   blue hands touching me

| Em   Em7   Em#5 Em |
All these things into posi - tion

| Em   Em7   Em#5   Em |
All these things we'll one day swallow whole.

A5   Asus4 Am Asus2   A5 Asus4 Am Asus2

Chorus 1

| C Cadd⁹ C Cmaj⁷ | Em Em⁷ Em♯⁵ Em |
And fade ———————— out ————————

| A⁵ Asus⁴ Am Asus² | A⁵ Asus⁴ Am Asus² |
Again. ———————————————

| C Cadd⁹ C Cmaj⁷ | Em Em⁷ Em♯⁵ Em |
And fade ———————— out.————————

Verse 2

| A⁵ Asus⁴ Am Asus² | A⁵ Asus⁴ Am Asus²
This ma - chine will, will not communicate

| A⁵ Asus⁴ Am Asus² | A⁵ Asus⁴ Am Asus²
These thoughts and the strain I am under

Em Em⁷ Em♯⁵ Em |
Be a world child, form a circle

Em Em⁷ Em♯⁵ Em | A⁵ Asus⁴ Am Asus² | A⁵ Asus⁴ Am Asu
Before we all go under.

Chorus 2

| C Cadd⁹ C Cmaj⁷ | Em Em⁷ Em♯⁵ Em |
And fade ———————— out ————————

| A⁵ Asus⁴ Am Asus² | A⁵ Asus⁴ Am Asus² |
Again. ———————————————

| C Cadd⁹ C Cmaj⁷ | Em Em⁷ Em♯⁵ Em |
And fade ———————— out. ————————

| A⁵ Asus⁴ Am Asus² | A⁵ Asus⁴ Am Asus² |
Again. ———————————————

Interlude

| C Cadd⁹ C Cmaj⁷ | Em Em⁷ Em♯⁵ Em |
La la la, la la la,

| A⁵ Asus⁴ Am Asus² | A⁵ Asus⁴ Am Asus² |
la la la, la la la.

| C Cadd⁹ C Cmaj⁷ | Em Em⁷ Em♯⁵ Em |
La la la, la la la.

Verse 3 | A⁵   Asus⁴ Am Asus² |
Cracked eggs,   dead birds
| A⁵   Asus⁴ Am   Asus² |
Scream as they fight for life
| A⁵ Asus⁴ Am Asus² | A⁵ Asus⁴ Am   Asus² |
I   can   feel death,   can see its beady eyes
| Em   Em⁷   Em#5 Em|
All these things into position
| Em⁷   Em#5   Em |
All these things we'll one day swallow whole.

A⁵   Asus⁴   Am Asus²   A⁵ Asus⁴   Am   Asus²
| /   /   /   / | /   /   /   / |

Chorus 3 | C   Cadd⁹   C   Cmaj⁷ | Em Em⁷   Em#5 Em |
And fade ————————————— out —————————————
| A⁵   Asus⁴   Am   Asus² | A⁵ Asus⁴   Am   Asus² |
Again. ————————————————————————
C   Cadd⁹   C   Cmaj⁷ | Em Em⁷   Em#5 Em |
And fade ————————————— out. —————————————
| A⁵   Asus⁴   Am Asus² | A⁵ Asus⁴   Am   Asus² |
Again. ————————————————————————

Outro ‖: C   Cadd⁹   C   Cmaj⁷ | Em   Em⁷   Em#5   Em |
La   la   la,   la   la   la,
| A⁵   Asus⁴   Am   Asus² | A⁵   Asus⁴   Am   Asus²:‖

‖: G⁶   G⁵   Gsus⁴   G | E   E⁷   E#5   E | A⁵ Asus⁴ |
Immerse————— your   soul————— in   love.———

┌1.   ┌2.
| Am   Asus² | A⁵ Asus⁴   Am   Asus² :‖   A⁵   ‖
——————————————————————————   ————

Teenage Dirtbag

Words and Music by
BRENDAN BROWN

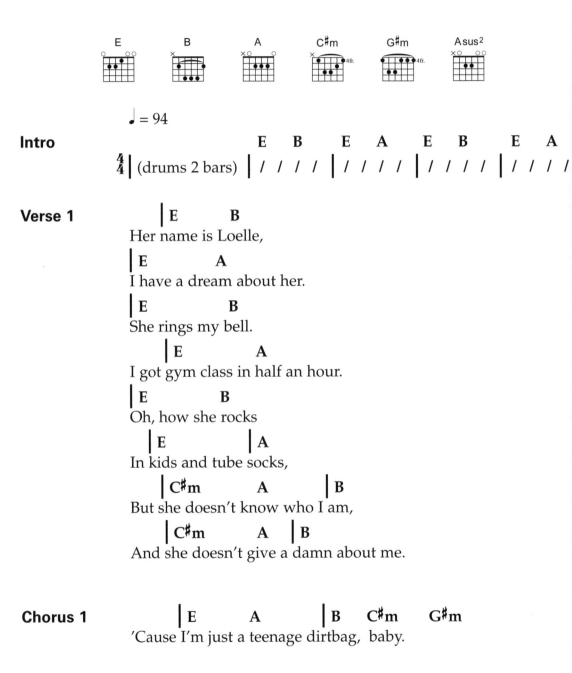

♩ = 94

Intro

E   B   E   A   E   B   E   A

4/4 (drums 2 bars) | / / / / | / / / / | / / / / | / / / /

Verse 1

| E   B
Her name is Loelle,

| E   A
I have a dream about her.

| E   B
She rings my bell.

| E   A
I got gym class in half an hour.

| E   B
Oh, how she rocks

| E | A
In kids and tube socks,

| C#m   A | B
But she doesn't know who I am,

| C#m   A | B
And she doesn't give a damn about me.

Chorus 1

| E   A | B   C#m   G#m
'Cause I'm just a teenage dirtbag, baby.

```
       │E      A       │B    C♯m      G♯m
Yeah I'm just a teenage dirtbag,  baby.
│E        A      │B   C♯m G♯m │E  A  ⁶₄│B  C♯m  G♯m  A  B
Listen to Iron Maiden, baby, with   me.
```

Link 1   E   B   E   A   E   B   E   A

⁴₄│ / / / / │ / / / / │ / / / / │ / / / /

Verse 2   │E   B
Her boyfriend's a d***
            │E   A
And he brings a gun to school,
            │E   B
And he'd simply kick
            │E   A
My ass if he knew the truth.
            │E   B
He lives on my block
                │E   A
And he drives an Iroc
          │C♯m   A   │B
But he doesn't know who I am,
          │C♯m   A   │B
And he doesn't give a damn about me.

Chorus 2   │E   A   │B   C♯m   G♯m
'Cause I'm just a teenage dirtbag, baby.
            │E   A   │B   C♯m   G♯m
Yeah I'm just a teenage dirtbag, baby.
            │E   A   │B   C♯m G♯m │E A ⁶₄│B C♯m G♯m A B
Listen to Iron Maiden, baby, with   me.

Bridge $\frac{4}{4}$ E   Asus² | E   Asus² | E   Asus²

Yeeah, —————— dirtbag, ——————

| C♯m   G♯m   A   B |

No, she doesn't know what she's missing,

E   Asus² | E   Asus² | E   Asus²

Yeeah, —————— dirtbag, ——————

| C♯m   G♯m   A   B

No, she doesn't know what she's missing.

Link 2   E   B   E   A

| /   /   /   / | /   /   /   /

Verse 3 | E   B

Man, I feel like mould,

| E   A

It's prom night and I am lonely.

| E   B

Lo and behold:

| E   A

She's walking over to me.

| E   B

This must be fake,

| E   A

My lip starts to shake.

| C♯m   A | B

How does she know who I am?

| C♯m   A | B

And why does she give a damn about?

Chorus 3 | E   A | B   C♯m   G♯m

I've got two tickets to Iron Maiden, baby,

| E   A | B   C♯m   G♯m

Come with me Friday, don't say maybe.

|E   A |B C#m G#m |E A $\frac{6}{4}$| B C#m G#m A B

I'm just a teenage dirtbag baby like you.

Coda $\frac{4}{4}$| E Asus^2 | E Asus^2 | E Asus^2

              Yeeah, ———— dirtbag, ————

      | C#m G#m   A   B |

No, she doesn't know what she's missing,

E Asus^2 | E Asus^2 | E Asus^2

           Yeeah, ———— dirtbag, ————

      | C#m G#m   A   B |E B |E A G#m

No, she doesn't know what she's   mis - sing.

    E   B   E   N.C.   A (G#m) (F#m)   E

    | / / / / | / / / / | / / /   / | /   ‖

Tender

Words and Music by
DAMON ALBARN, ALEX JAMES,
GRAHAM COXON AND DAVID ROWNTREE

A	E	G	D	C	C#m

♩ = 74

Intro

(A) (A)   (A)   (A)   (A)   (E)

2/4 / ‖: / / | / / | / / | / / | / / |

1.
(E)   A

/ / | / / | / / :‖ 3/4

2.
(E)   A

/ / / ‖

A

2/4 | / / | / / | / / | / / ‖: / / | / / |

A   E   A

| / / | / / | / / | / / | / / | / / :‖

Verse 1

| A |
Tender is the night

| G | A
Lying by your side;

| |
Tender is the touch

    | G | A
Of someone that you love too much.

| |
Tender is the day

```
|G            |A
The demons go away.

|             |
Lord,  I need to find
|G                   |A
Someone who can heal my mind.
```

Chorus 1

```
‖: A                      |
       Come on, come on, come on,
|D      |C
       Get through it.
|A                        |
       Come on, come on, come on,
|C♯m             |D           :‖
       Love's the greatest thing
|C♯m        |D
    That we have.
        |C♯m           |D
I'm waiting for that feeling,
        |C♯m           |D
I'm waiting for that feeling,
|A               |G      |A            |
Waiting for that feeling to     come. _____
```

Bridge 1

```
            |A
Oh my baby,

            |
Oh my baby,
      |E
Oh why?
|      |A    |
Oh    my.
            |
Oh my baby,
```

|A
Oh my baby,
|E
Oh why?
| |A | |
Oh   my.

Verse 2

|A |
Tender is the ghost
    |G |A
The ghost I love the most.
| |
Hiding from the sun
|G |A
Waiting for the night to come.
| |
Tender is my heart
    |G |A
For screwing up my life.
| |
Lord, I need to find
|G |A
Someone who can heal my mind.

Chorus 2

||: A |
     Come on, come on, come on,
|D |C
     Get through it.
|A |
     Come on, come on, come on,
|C♯m |D   :||
     Love's the greatest thing
|C♯m |D
     That we have.

|C♯m |D
I'm waiting for that feeling,
          |C♯m |D
I'm waiting for that feeling,
|A |G |A |
Waiting for that feeling to   come. ⸺⸺⸺

Bridge 2 |A
Oh my baby,

              |
Oh my baby,
              |E
Oh why?
| |A |
Oh   my.
|
Oh my baby,

              |
Oh my baby,
              |E
Oh why?
| |A | |
Oh   my.

Guitar solo   A   G   A   G   A
| /   / | /   / | /   / | /   / | /   / | /   / | /   / | /   / ‖

Chorus 3   ‖: A |
            Come on, come on, come on,
          |D |C
            Get through it.
          |A |
            Come on, come on, come on,

| C#m | D   :‖
Love's the greatest thing

| C#m | D
That we have.

  | C#m | D
I'm waiting for that feeling,

  | C#m | D
I'm waiting for that feeling,

| A | G | A |
Waiting for that feeling to   come. _____

Bridge 3 | A
Oh my baby,

     |
Oh my baby,

     | E
Oh why?

| | A |
Oh   my.

     |
Oh my baby,

     |
Oh my baby,

     | E
Oh why?

| | A | |
Oh   my.

Verse 3 | A |
Tender is the night

| G | A
Lying by your side;

| |
Tender is the touch

|G |A

Of someone that you love too much.

| |

Tender is my heart, you know,

   |G |A

For screwing up my life.

   | |

Oh Lord, I need to find

|G |A

Someone who can heal my mind.

Chorus 4   ‖: A |

       Come on, come on, come on,

|D |C

       Get through it.

|A |

       Come on, come on, come on,

|C♯m |D   :‖

       Love's the greatest thing

|C♯m |D

      That we have.

   |C♯m |D

I'm waiting for that feeling,

     |C♯m |D

I'm waiting for that feeling,

|A |G |A |

Waiting for that feeling to   come.

Bridge 4 |A

Oh my baby,

         |

Oh my baby,

     |E

Oh why?

| |A |
Oh   my.

|
Oh my baby,

|
Oh my baby,
  |E
Oh why?
| |A | |
Oh   my.

Bridge 5
       |A
Oh my baby,

|
Oh my baby,
  |E
Oh why?
| |A |
Oh   my.

|
Oh my baby,

|
Oh my baby,
  |E
Oh why?
| |A | |
Oh   my.
(with vocal ad libs)

Bridge 6
       |A
Oh my baby,

|
Oh my baby,
  |E
Oh why?

```
|     |A     |
Oh    my.

|
Oh my baby,
        |A
Oh my baby,
    |E
Oh why?
|     |A     |        ‖  to fade
Oh    my.
```

There Goes The Fear

Words and Music by
WILLIAMS/GOODWIN/WILLIAMS

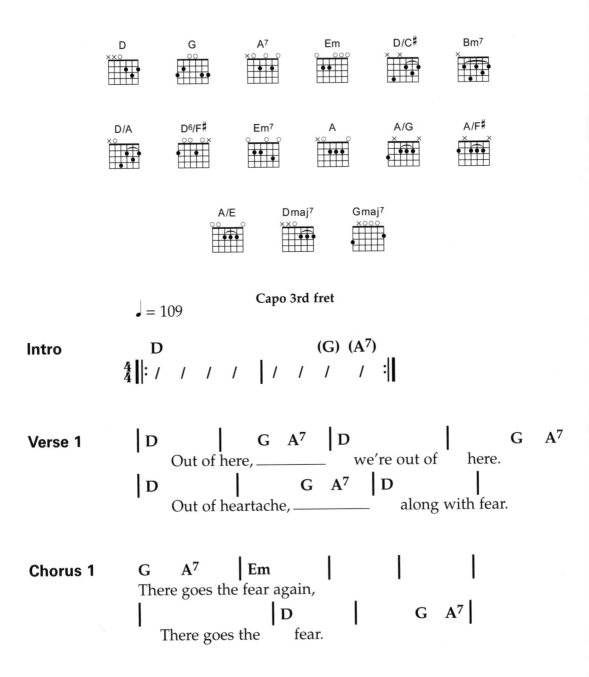

Capo 3rd fret

♩ = 109

Intro   D   (G) (A⁷)

4/4 :∥ / / / / | / / / / :∥

Verse 1 |D | G   A⁷ |D | G   A⁷
               Out of here, _____ we're out of   here.
               |D | G   A⁷ |D |
               Out of heartache, _____ along with fear.

Chorus 1   G   A⁷ |Em | | |
               There goes the fear again,
               | |D | G   A⁷|
               There goes the   fear.

Link 1

D   G A^7

| /   /   /   / | /   /   /   / |

Verse 2

| D | G A^7 | D | G A^7
And cars speed fast ——————— out of   here.

| D | G A^7 | D | D
And life goes past ——————— again so near.

Chorus 2

G   A^7 | Em | | G
There goes the fear again,   ah ———————

| G   A^7 | D
      There goes the   fear.

Bridge 1

| D/C♯ | Bm^7
Close your   brown eyes

| D/A | G | D^6/F♯ | Em |
    And lay   down   next to   me.

| Em^7 | A | A/G
    Close your   eyes, ———————

| A/F♯ | A/E | Dmaj^7 |
Lay   down,   'cause there goes the fear.

| A |
Let it go. ———————

Bridge 2

| Em^7 | G | D | A
You turn around and life's passed you by.

| Em^7 | G | D | A
You look to ones you love to ask them why.

| Em^7 | G | D | A
You look to those you love to justify.

| Em^7 | G | D
You turn around and life's passed you by,

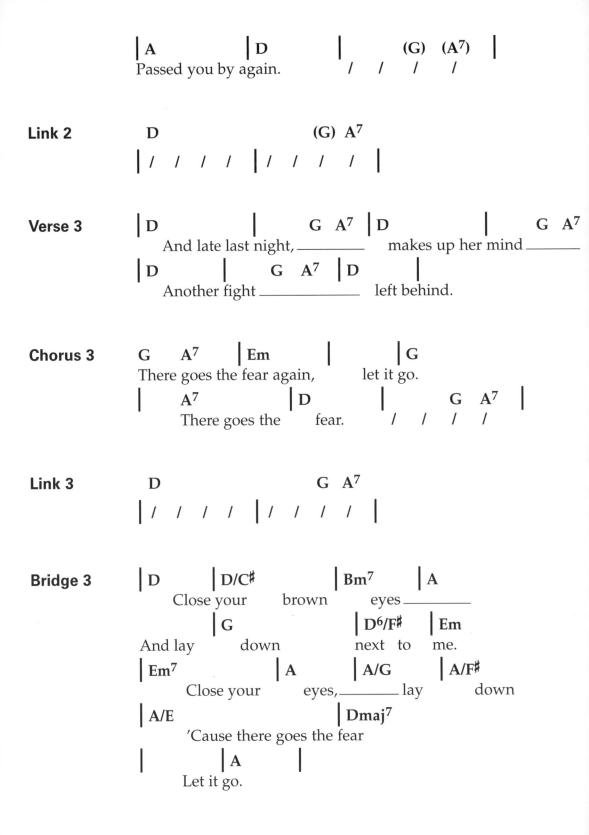

| A | | D | | | (G) (A⁷) | |
| Passed you by again. | | | | / / / / | |

Link 2   D   (G) A⁷

| | / / / / | / / / / | |

Verse 3 | D | | G A⁷ | D | | G A⁷
And late last night, _____ makes up her mind _____
| D | | G A⁷ | D | |
Another fight _____ left behind.

Chorus 3   G   A⁷ | Em | | G
There goes the fear again,   let it go.
| A⁷ | D | | G A⁷ |
There goes the   fear.   / / / /

Link 3   D   G A⁷

| | / / / / | / / / / | |

Bridge 3 | D | D/C♯ | Bm⁷ | A
Close your   brown   eyes _____
| G | D⁶/F♯ | Em
And lay   down   next to me.
| Em⁷ | A | A/G | A/F♯
Close your   eyes, _____ lay   down
| A/E | Dmaj⁷
'Cause there goes the fear
| | A |
Let it go.

Bridge 4

| Em⁷ | G | D | A |

You turn around and life's passed you by. ─────────

| Em⁷ | G | D | A |

You look to ones you love to ask them why. ─────────

| Em⁷ | G | D | A |

You look to those you love to justify. ─────────

| Em⁷ | G | D | A |

You turn around and life's passed you by, ─────────

Verse 4

| Em⁷ | G |

Think of me when you're coming down

| D | A |

But don't look back when leaving town.

| Em⁷ | G |

Oh, think of me when he's calling out

| D | A |

But don't look back when leaving town.

| Em⁷ | G |

Yeah, think of me when you close your eyes

| D | A |

But don't look back when you break up ties.

| Em⁷ | G |

Think of me when you're coming down

| D | A | D | D/C♯ | Bm⁷ |

But don't look back when leaving town to me.   / / / /   / / / /

Chorus 4

| A | G | D⁶/F♯ | Em |

There goes the fear again,   ah. ─────────

| Em⁷ | A | A/G | A/F♯ |

There goes ─────── the   fear,

| A/E | Dmaj⁷ | | A | | |

There goes   the fear,   let it go.

211

Instrumental   Em^7 Gmaj^7 D   A

‖: / / / / | / / / / | / / / / | / / / / :‖

Coda

| Em^7 | G

Ah, think of me when you close your eyes,

| D | A

But don't look back when you break-up ties.

| Em^7 | G

Think of me when you're coming down

| D | A | Em^7 | G |

But don't look back when leaving town to me.

D   A   Em^7 G

| / / / / | / / / / ‖: / / / / | / / / / |

D   A   N.C.

| / / / / | / / / / :‖   13 bars percussion to end   ‖

Time In A Bottle

Words and Music by
JIM CROCE

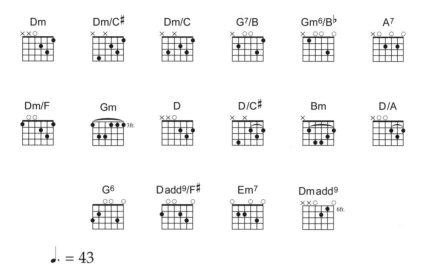

♩. = 43

Intro

Dm Dm/C♯ Dm/C G⁷/B Gm⁶/B♭ A⁷

$\frac{6}{8}$ | /. /. | /. /. | /. /. | /. /. ‖

Verse 1

| Dm   Dm/C♯ | Dm/C   G⁷/B
If I could save   time in a bottle
| Gm⁶/B♭ | A⁷
The first thing that I'd like to do
| Dm   Dm/C
Is to save every day
| Gm⁶/B♭ | Dm/F
'Til Eternity passes away
  Gm | A⁷
Just to spend them with you.

Verse 2

| Dm   Dm/C♯ | Dm/C   G⁷/B
If I could make days last forever,

|Gm6/Bb |A7
If words could make wishes come true,
    |Dm   Dm/C |Gm6/Bb
I'd save every day like a treasure and then,
    |Dm/F   Gm |A7
Again, I would spend them with you.

Bridge 1 |D   D/C#
But there never seems to be enough time
          |Bm   D/A
To do the things you want to do
              |G6   Dadd9/F# |Em7
Once you find them.
A7 |D   D/C#
    I've looked around enough to know
          |Bm   D/A
That you're the one I want to go
              |G6   Dadd9/F# |Em7   A7 |
Through time with.

Link   Dm Dm/C# Dm/C G7/B   Gm6/Bb   A7
          | /.   /. | /.   /. | /.   /. | /.   /.   ‖

Verse 3 |Dm   Dm/C# |Dm/C   G7/B
If I had a box just for wishes
              |Gm6/Bb |A7
And dreams that had never come true
              |Dm   Dm/C
The box would be empty
          |Gm6/Bb
Except for the memory
              |Dm/F   Gm |A7
Of how they were answered by you.

Bridge 2

$|$ D   D/C$\sharp$

But there never seems to be enough time

$|$ Bm   D/A

To do the things you want to do

$|$ G^6 Dadd^9/F$\sharp$ $|$ Em^7

Once you   find them.

A^7 $|$ D   D/C$\sharp$

   I've looked around enough to know

$|$ Bm   D/A

That you're the one I want to go

$|$ G^6 Dadd^9/F$\sharp$ $|$ Em^7 A^7 $|$

Through time with.

Coda

      Dm add^9

$|$ /.   /. $|$ /.   /. $|$

$|$ /.   /. $|$ /. $\|$

Underdog
(Save Me)

Words and Music by
OLLY KNIGHTS AND GALE PARIDJANIAN

Bm   A   G   Dmaj⁹/F♯   E   D/F♯   Bm⁷

♩ = 75

Intro

Bm   A   G   Bm   A   G

4/4 | / / / / | / / / / | / / / / | / / / / ‖

Verse 1

| Bm   A | G
Two black lines streaming out like a guidance line.
| Bm   A | G
Put one foot on the road now where the cyborgs are driving.
| Bm   A | G
With the WD-40 in their veins
| Bm   A | G
The screeching little brakes complains.

Verse 2

| Bm   A | G
With the briefcase empty and the holes in my shoes,
| Bm   A | G
I try to stay friendly for the sugary abuse.
| Bm   A | G
So tell my secretary now to hold all of my calls;
| Bm   A | G
I believe I can hear through these walls.

Chorus 1

| A   Dmaj^9/F$\sharp$ | G   E

Oh please save me,   save me from myself.

| A   Dmaj^9/F$\sharp$ | G   E

I can't be   the only one stuck on the   shelf.

| A   Dmaj^9/F$\sharp$

You said you'd always _____

| G   E | A   Dmaj^9/F$\sharp$ $\frac{2}{4}$| G   D/F$\sharp$ $\frac{4}{4}$| E |

Fall for the under - dog.   /   /   / / / /

Link

Bm   A   G   Bm   A   G

| /   /   /   / | /   /   /   / | /   /   /   / | /   /   /   / |

Verse 3

| Bm   A | G

Well, I've been dreaming of jet-streams and kicking up dust,

| Bm   A | G

A thirty-seven thousand foot wanderlust.

| Bm   A | G

And with skyline number nine ticked off in my mind

| Bm   A

Can you hear me screaming out now

           | G

Through the telephone lines?

Chorus 2

| A   Dmaj^9/F$\sharp$ | G   E

Oh please save me,   save me from myself.

| A   Dmaj^9/F$\sharp$ | G   E

I can't be   the only one stuck on the   shelf.

| A   Dmaj^9/F$\sharp$

You said you'd always _____

| G   E | A   Dmaj^9/F$\sharp$ $\frac{2}{4}$| G   D/F$\sharp$ $\frac{4}{4}$| E |

Fall for the under - dog.   /   /   / / / /

Guitar solo Bm   A   G   Bm   A   G

‖: / / / / | / / / / | / / / / | / / / / :‖

Play 3 times

Coda   ‖: A   Dmaj^9/F$^\sharp$ | G   E   :‖   A   Dmaj^9/F$^\sharp$

Save   me.   Save   me.

G   D/F$^\sharp$ E   Bm^7

$\frac{2}{4}$| /   / $\frac{4}{4}$| /   /   /   / | /   ‖

Warning

Words and Music by
BILLIE-JOE ARMSTRONG, FRANK WRIGHT
AND MICHAEL PRITCHARD

A   D   G   E

♩ = 117

Intro
```
     A    D        G    D        A    D        G
4/4 ‖: /  /  /  /  | /  /  /  /  :‖ /  /  /  /  | /  /
              Play 3 times
```

Verse 1

D |A   D
This is a public service announcement

|G   D |A   D |G
This is only a test.

D |A   D |G   D |A   D |G
    Emergency   evacuation protest.

D |A   D |G   D
May impair your ability to operate machinery.

|A   D |G   D
Can't quite tell   just what it means to me.

|A   D
Keep out of reach of children.

|G   D
Don't you talk to strangers.

            |A   D |G   D
Get your philosophy   from a bumper sticker.

Chorus 1

|A D |G   D |A D |G
Warning,   live without warning.

D | A D | G   D | A D |
I say, warning,   live without warning

| G   D | A   (G) (E)
Without,   alright.

Link 1

A (G) (E) A D   G D   A D   G D

‖: / / / / :‖ / / / / | / / / / | / / / / | / / / / |

Play 3 times

Verse 2

| A D | G   D | A D | G D
Better homes and safety-sealed communities.

| A   D | G D | A D | G D |
Did you remember to pay the utility?

| A   D | G   D
Caution! Police line ____ you'd better not cross.

        | A   D | G   D
Is the cop or am I the one that's really dangerous?

| A   D | G   D
Sanitation, expiration date, question everything

| A   D | G   D
Or shut up and be a victim of authority?

Chorus 2

| A D | G   D | A   D | G
Warning,   live without warning.

D | A D | G   D | A D | G D |
I say, warning,   live without warning

| A D | G   D | A   D | G
Warning,   live without warning.

D | A D | G   D | A D |
I say, warning,   live without warning

| G   D | A   (G) (E)
Without,   alright.

220

Link 2

A　　(G)　(E)

‖: / / / / :‖

Play 3 times

Bridge

| A　(G)　(E) | A　(G)　　　(E)　　| A (G)(E) | A (G)(E) |

Better homes and safety-sealed communities.

| A　　　(G)　　(E) | A　　　(G) (E) | A (G)(E) | A (G)(E) |

Did you remember to　pay the utili - ty?

Verse 3

| A　　　D　　　　　　　　　　| G　　　D

Caution! Police line ⸺ you'd better not cross.

　　　| A　　　D　| G　　　　D

Is the cop or am I the one that's really dangerous?

| A　　　D　　　　| G　　　　D

Sanitation, expiration date, question everything

| A　　　D　　　　| G　N.C.

Or shut up and be a victim of authority?

Chorus 3

A　D　　| G　　　　　D　　　| A　　　D　　　| G

Warning,　live without warning.

D　　　| A　D　　| G　　　　D　　　| A　D　| G　D |

　　I say, warning,　live without warning

Chorus 4

A　D　　| G　　　　　D　　　| A　　　D　　　| G

Warning,　live without warning.

D　　　| A　D　　| G　　　　D　　　| A　D　| G

　　I say, warning,　live without warning

Coda

D　　　　　　　| A　　　D

　　This is a public service announcement.

| G　　　D　　　| A　　　‖

This is only a test.

Walking After You

Words and Music by
DAVID GROHL

E   E/G#   A   A#dim   Asus2

B7   F#7add11   Aadd9   C#m7

♩ = 96

Intro

E

4/4 | / / / / | / / / / | / / / / | / / / / |

Verse 1

| E | E/G#
Tonight I'm tangled in my

| A | A#dim | A   Asus2 |
blanket of clouds

| B7
Dreaming aloud.

| E | E/G#
Things just won't do without you.

| A | A#dim
Matter of fact

| A   Asus2 | B7 | E
Oh, _____   I'm on your back. _____

| E/G# | A
I'm on your back.

| A#dim | A   Asus2 | B7 | E | |
Oh, _____   I'm on your back. _____

Chorus 1

| F#7add11 | | | Aadd9

If you walk out on me

| | | E | |

I'm walking after ———— you.

| F#7add11 | | | Aadd9

If you walk out on me

| | | E | | |

I'm walking after ———— you.

Verse 2

| E | | E/G#

If you'd accept surrender,

| A | | A#dim | A   Asus2 |

Give up some more.

| B7

Weren't you adored?

| E | | E/G#

I cannot be without you.

| A

Matter of fact

| A#dim | A   Asus2 | B7 | | E

Oh, ——————— I'm on your back ————

| E/G# | | A

I'm on your back

| A#dim | A   Asus2 | B7 | | E | | |

Oh, ——————— I'm on your back. ————

Chorus 2

| F#7add11 | | | Aadd9

If you walk out on me

| | | E | |

I'm walking after ——— you.

| F#7add11 | | | Aadd9

If you walk out on me

| | | E

I'm walking after ———— you.

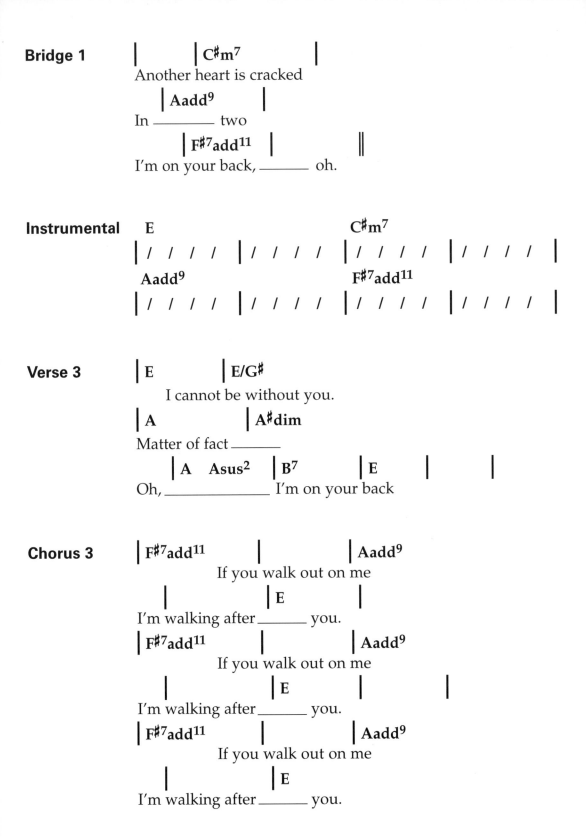

Bridge 2 | | C#m⁷ |

Another heart is cracked

       | Aadd⁹ |

In ———— two

        | F#7add¹¹ |

I'm on your back, ———— oh.

Coda   E   C#m⁷

| / / / / | / / / / | / / / / | / / / / |

Aadd⁹   E

| / / / / | / / / / | / ‖

Waterloo Sunset

Words and Music by
RAYMOND DAVIES

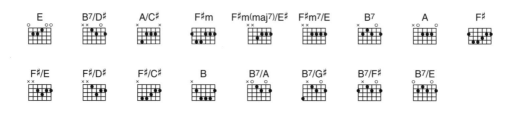

♩ = 106

Intro   4/4 |
Dirty old ri-

Verse 1   E |B⁷/D♯ |A/C♯ | |
ver, must you keep rolling? Flowing into the night.   People so bu-

E |B⁷/D♯ |A/C♯ | |
sy, make me feel dizzy, taxi lights shine so bright.   But I don't

F♯m |F♯m(maj7)/E♯ |F♯m⁷/E |B⁷ |
need no friends.   As long as I gaze

E |B⁷ |A | F♯ |
on Waterloo sunset   I am in paradise.

Chorus 1   F♯/E |F♯/D♯   F♯/C♯ |
Every   day I   look at the world   from my

B |E   A   F♯ |
window.

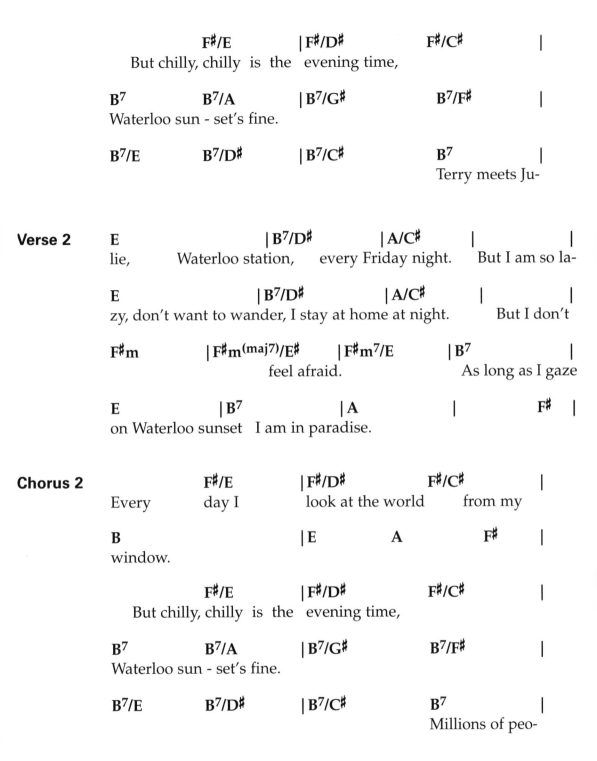

F♯/E |F♯/D♯   F♯/C♯ |

But chilly, chilly is the evening time,

B⁷   B⁷/A |B⁷/G♯   B⁷/F♯ |

Waterloo sun - set's fine.

B⁷/E   B⁷/D♯ |B⁷/C♯   B⁷ |

Terry meets Ju-

Verse 2

E |B⁷/D♯ |A/C♯ | |

lie,   Waterloo station,   every Friday night.   But I am so la-

E |B⁷/D♯ |A/C♯ | |

zy, don't want to wander, I stay at home at night.   But I don't

F♯m |F♯m⁽ᵐᵃʲ⁷⁾/E♯ |F♯m⁷/E |B⁷ |

feel afraid.   As long as I gaze

E |B⁷ |A | F♯ |

on Waterloo sunset I am in paradise.

Chorus 2

F♯/E |F♯/D♯   F♯/C♯ |

Every   day I   look at the world   from my

B |E   A   F♯ |

window.

F♯/E |F♯/D♯   F♯/C♯ |

But chilly, chilly is the evening time,

B⁷   B⁷/A |B⁷/G♯   B⁷/F♯ |

Waterloo sun - set's fine.

B⁷/E   B⁷/D♯ |B⁷/C♯   B⁷ |

Millions of peo-

Verse 3

E | B^7/D$^\sharp$ | A/C$^\sharp$ | |
ple swarming like flies 'round Waterloo underground. But Terry and Ju-

E | B^7/D$^\sharp$ | A/C$^\sharp$ | |
lie cross over the river where they feel safe and sound. And they don't

F$^\sharp$m | F$^\sharp$m$^{(maj7)}$/E$^\sharp$ | F$^\sharp$m^7/E | B^7 |
                  need no friends.   As long as they gaze

E | B^7 | A/C$^\sharp$ | |
on Waterloo sunset   they are in paradise.

Coda

E   B^7/D$^\sharp$ A/C$^\sharp$ B^7

| / / / / | / / / / | / / / / | / / / / |

| |
        Waterloo sunset's fine.

| |
Waterloo sunset's fine.   Waterloo sunset's fine.

| / / / / | / / / / | / / / / ‖

Weather With You

Words and Music by
NEIL FINN AND TIM FINN

Em7   A   Dm   C   F

G   A7sus4   D   D/F#

Moderately

Verse 1   **Em⁷**   **A**

$\frac{4}{4}$ | / / / / | / / / / |

Em⁷ |**A** |
                                          Walking round the

Em⁷ |**A** |
room   singing 'Stormy Weather',   at fifty-

Em⁷ |**A** |
seven Mount Pleasant Street.   Well it's the

Em⁷ |**A** |
same room but ev'rything's diff'rent.   You can fight the

Em⁷ |**A** |
sleep   but   not the   dream.

Dm   **C** |**Dm**   **C** |
        Things ain't   cooking   in my   kitchen.

Dm   **C** |**F** |
      Strange affliction   wash over   me.

Dm   **C** |**Dm**   **C** |
      Julius Caesar   and the Roman Empire

Dm   **C** |**F** |
      couldn't conquer   the blue   sky.

G   **Em⁷**
| /   /   /   / | /   /   /   / |

A   **Em⁷**
| /   /   /   / | /   /   /   / |

A |
     Ev'rywhere you go

Chorus 1   **A⁷sus4**   **|D** |
    you always take the weather with you.   Ev'rywhere you go

    A⁷sus4   **|D** |
    you always take the weather.   Ev'rywhere you go

    A⁷sus4   **|G** |
    you always take the weather with you.   Ev'rywhere you go

    D/F♯   **|G**   **A** |
    you always take the weather,   the weath - er with you.

Verse 2   **Em⁷**   **A**
| /   /   /   / | /   /   /   /

Em⁷   **|A**
                                      Well there's a

Em⁷   **|A**
small   boat   made of   China.   It's going

Em⁷   **|A**
nowhere on the mantelpiece.   Well do I

Em⁷   **|A**
lie like a lounge room lizard,   or do I

Em⁷   **|A**
sing like a bird released?   Ev'rywhere you go

Chorus 2

A⁷sus4 |D |
     you always take the weather with you.   Ev'rywhere you go

A⁷sus4 |D |
     you always take the weather.   Ev'rywhere you go

A⁷sus4 |G |
     you always take the weather with you.   Ev'rywhere you go

D/F♯ |G   A |
     you always take the weather,   the weath - er with you.

Interlude

     Em⁷   A
| /   /   /   / | /   /   /   / |

     Em⁷   A
| /   /   /   / | /   /   /   / |

     Em⁷   A
| /   /   /   / | /   /   /   / |

Em⁷ |A |
                             Ev'rywhere you go

Chorus 3

A⁷sus4 |D |
     you always take the weather with you.   Ev'rywhere you go

A⁷sus4 |D |
     you always take the weather.   Ev'rywhere you go

A⁷sus4 |G |
     you always take the weather with you.   Ev'rywhere you go

D/F♯ |E |
     you always take the weather,   take the weath-

G   A |D   ‖
-er,   the weather with you.

231

Wicked Game

Words and Music by
CHRIS ISAAK

Bm   A   E

♩ = 110

Intro

Bm   A   E

4/4 ‖: / / / / | / / / / | / / / / | / / / / :‖

Play 4 times

Verse 1

| Bm
The world was on fire,
| A | E |
No-one could save me but you.
| Bm | A | E |
Strange what desire will make foolish people do.
| Bm | A | E |
I never dreamed that I'd meet somebody like you
     | Bm | A | E |
And I never dreamed that I'd lose somebody like you.

Chorus 1

| Bm | A | E
No, I   don't wanna fall in love.
|
(This love is only gonna break your heart)
| Bm | A | E
No, I   don't wanna fall in love.
|
(This love is only gonna break your heart)

```
| Bm
With you,

| A          | E              |
  / / / /    / / / /    / / / /

| Bm
With you,

| A          | E              |
  / / / /    / / / /    / / / /
```

Verse 2

```
| Bm                  | A
  What a wicked game you play
| E              |
  To make me feel this way.
| Bm                  | A
  What a wicked thing to do
| E              |
  To let me dream of you.
| Bm                  | A
  What a wicked thing to say
| E              |
  You never felt this way.
| Bm                  | A
  What a wicked thing to do
| E              |
  To make me dream of you.
```

Chorus 2

```
        | Bm    | A              | E
And  I _____ wanna fall in love.
                            |
(This love is only gonna break your heart)
        | Bm    | A              | E
No I _____ wanna fall in love.
                            |
(This love is only gonna break your heart)
```

With

Guitar solo

Bm   A   E

| / / / / | / / / / | / / / / | / / / / |

you.

Bm   A   E

||: / / / / | / / / / | / / / / | / / / / :||

Play 3 times

Verse 3

| Bm
The world was on fire,
| A | E |
No-one could save me but you.
| Bm | A | E |
Strange what desire will make foolish people do.
| Bm | A | E |
I never dreamed that I'd love somebody like you
    | Bm | A | E |
And I never dreamed that I'd lose somebody like you.

Chorus 3

    | Bm | A | E
And I   wanna fall in love.
                |

(This love is only gonna break your heart)
   | Bm | A | E
No I   wanna fall in love.
              |

(This love is only gonna break your heart)
    | Bm | A |
With you.
| E |
    (This love is only gonna break your heart)

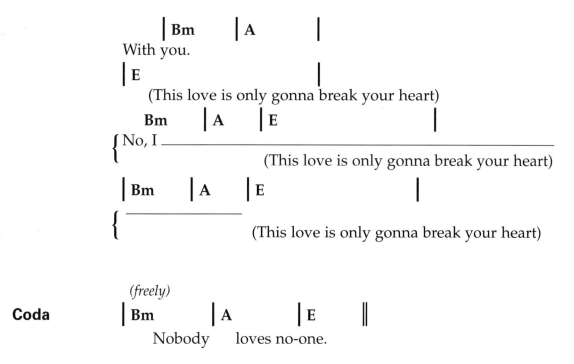

|Bm |A |
With you.

|E |
   (This love is only gonna break your heart)

   Bm |A |E |
{ No, I
              (This love is only gonna break your heart)

|Bm |A |E |
{
              (This love is only gonna break your heart)

(freely)
Coda |Bm |A |E   ‖
             Nobody   loves no-one.

Wild Wood

Words and Music by
PAUL WELLER

Am   Em/A   Dm⁷   E7$^{\sharp5}_{\flat9}$

Capo 2nd fret

♩ = 74

Intro

| Am | Em/A | Dm⁷   E7$^{\sharp5}_{\flat9}$ | Am |

$\frac{4}{4}$ | / / / / | / / / / | / / / / | / / / / ||

Verse 1

| Am | Em/A
High tide, mid-afternoon,
| Dm⁷   E7$^{\sharp5}_{\flat9}$ | Am
People fly by in the traffic's boom
| | Em/A
Knowing just where you're blowing,
| Dm⁷   E7$^{\sharp5}_{\flat9}$ | Am |
Getting to where   you should be going.

Verse 2

| | Em/A
Don't let them get you down,
| Dm⁷   E7$^{\sharp5}_{\flat9}$ | Am
Making you feel   guilty about
| | Em/A
Golden rain will bring you   riches,
| Dm⁷   E7$^{\sharp5}_{\flat9}$ | Am
All the good things   you deserve now.

© 1993 NTV Music (UK) Ltd
Notting Hill Music (UK) Ltd, London W8 4AP

Solo 1

| Am | Em/A | Dm^7 E7$^{\sharp5}_{\flat9}$ | Am |

| / / / / | / / / / | / / / / | / / / / |

Verse 3

|Am |Em/A
Climbing, forever   trying,
|Dm^7 E7$^{\sharp5}_{\flat9}$ |Am
Find your way out,   of the wild, wild wood.
| |Em/A
Now there's no justice,
|Dm^7 E7$^{\sharp5}_{\flat9}$ |Am
You've only yourself   that you can trust in.

Verse 4

   | |Em/A
And I said, high tide mid-afternoon,
  |Dm^7 E7$^{\sharp5}_{\flat9}$ |Am
Woah, people fly by   in the traffic's boom.
| |Em/A
Knowing just where you're blowing,
|Dm^7 E7$^{\sharp5}_{\flat9}$ |Am
Getting to where   you should be going.

Solo 2

| Am | Em/A | Dm^7 E7$^{\sharp5}_{\flat9}$ | Am |

| / / / / | / / / / | / / / / | / / / / |

Verse 5

| |Em/A
Day by day your world fades away,
|Dm^7 E7$^{\sharp5}_{\flat9}$ |Am
Waiting to feel   all the dreams that say
| |Em/A
Golden rain will bring you   riches,
|Dm^7 E7$^{\sharp5}_{\flat9}$ |Am
All the good things   you deserve now.

Verse 6

| | Em/A
Climbing, forever trying

             | Dm^7 E7$^{\sharp5}_{\flat9}$ | Am
You're gonna find your way out   of the wild, wild wood.

                  | Dm^7 E7$^{\sharp5}_{\flat9}$
I said you're gonna find your way out

            | Am
Of the wild, wild wood.

Coda   Am

| / / / / | / / / / | / / / / | / / / / ‖

Available Now
In all good music shops

ModernGuitar Anthems BlueBook

Thirty songs arranged for Guitar Tablature Vocal.

Starsailor/TheDandyWarhols/
Elbow/Feeder/TurinBrakes/
VexRed/TheElectricSoftParade/
TheWhiteStripes/Radiohead/
BlackRebelMotorcycleClub/
MercuryRev/Haven/TheCoral/
HundredReasons/A/TheMusic/
Doves/MullHistoricalSociety/
TheCooperTempleClause/Idlewild

International Music Publications Limited

MGAB3

Available Now

In all good music shops

ModernGuitar Anthems RedBook

Thirty songs arranged for Guitar Tablature Vocal.

PapaRoach/PuddleOfMudd/
SystemOfADown/Hoobastank/
Incubus/LostProphets/Sum41/
Creed/Nickleback/LinkinPark/
Staind/Slipknot/JimmyEatWorld/
AlienAntFarm/Blink182/LimpBizkit/
MarilynManson/Disturbed/A/

International Music Publications Limited